コンクールの審査員席，左からアロンソ教授，筆者，メルジャノフ教授

エミール・ギレリス　〈ポリドール提供〉

第１回ピアノ部門優勝者ヴァン・クライバーンのニューヨーク凱旋（1958.5.20）
〈WWP提供〉

左から筆者，アダム・ハラシェヴィチ（1955年ショパン・コンクール第１位），アシュケナージ夫人，ウラディミール・アシュナケージ（同第２位）
（東京，1968）

スヴャトスラフ・リヒテル
〈"巨匠リヒテルの世界"（東京新聞社刊）より　撮影　昆田　亨〉

ウラディミール・ホロヴィッツ
〈ポリドール提供〉

セルゲイ・ラフマニノフ
〈ＩＡＮ提供〉

アルトゥール・ルービンシュタイン

ジョゼフ・ホフマンとその息子アントン

テレサ・カレーニョ

ニコライ・ルビンシュタイン(左)とアントン・ルビンシュタイン

音楽院前に貼り出されるコンテスタントたちの顔写真

マリーニン教授(左)とヴラセンコ教授(コーヒーブレイクにて)

ジェヴィエツキ教授と筆者(ワルシャワ，1965)

エフゲニー・スヴェトラーノフ
〈ジャパン・アーツ提供〉

ヴァン・クライバーン
(第1回)

ウラディミール・アシュケナージ(第2回)
〈ポリドール提供〉

ジョン・オグドン
(第2回)

グリゴリー・ソコロフ
(第3回)
〈ビクター音楽産業提供〉

ウラディミール・クライネフ(第4回)
〈IAN提供〉

ジョン・リル(第4回)
〈カザルスホール提供〉

アンドレイ・ガヴリーロフ(第5回)

ミハイル・プレトニョフ(第6回)〈IAN提供〉

バリー・ダグラス
(第8回)

チャイコフスキー・コンクールピアノ部門歴代第1位入賞者(第7回は1位なし)

ドレンスキー教授と筆者

ロジーナ・レヴィン夫人

ハロルド・ショーンバーグと筆者
（スペイン，1987.7）

ピアノ部門の審査員が音楽院前で記念撮影(1982)
右から4人めが筆者　〈ジャパン・アーツ提供〉

ファニー・ウォーターマン夫人(左)
とニコル・シュヴァイツァー夫人

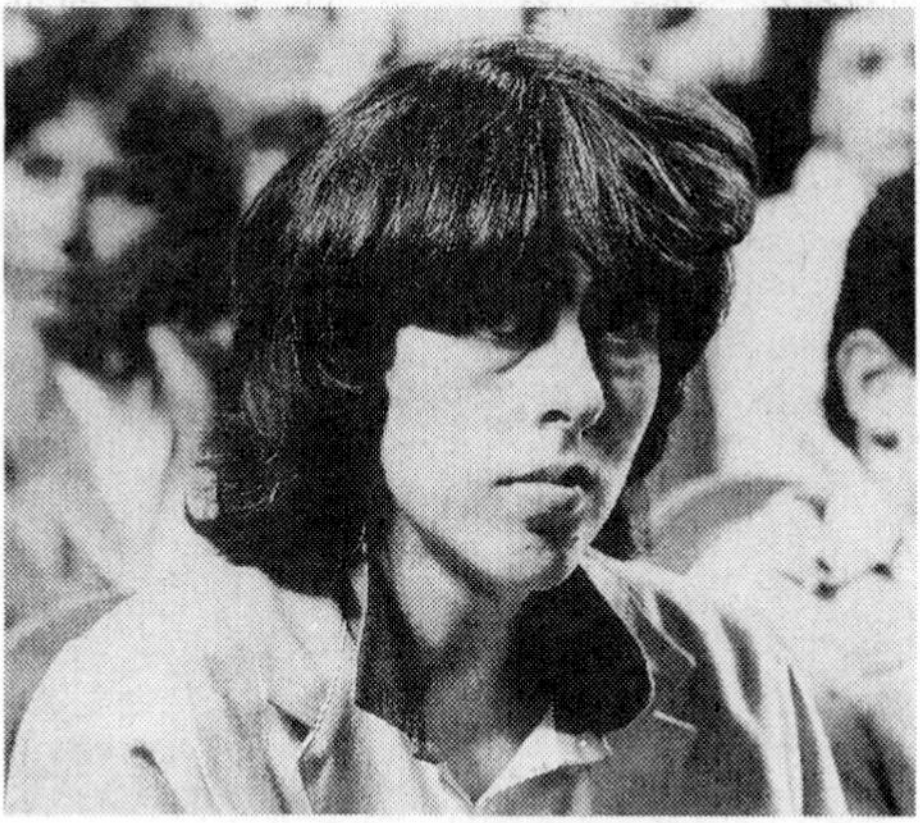

ナタリア・トルル

ウラディミール・オフチニコフ
〈日本アーティストマネージメント提供〉

ピーター・ドナホー

演奏する井口基成

井口愛子

久野ひさ子

左からユーリ・ブーコフ，パウル・パドゥラ=スコダ，セケイラ・コスタ．いずれも国際コンクールの常連審査員たち　（リスボン，1987.7）

スペイン・ピアノ界の実力者パロマ・オシア(中央)とファイナリストたち．チャイコフスキー・コンクールのファイナリストの顔も何人かみえる(1987.7)

中公文庫

チャイコフスキー・コンクール

ピアニストが聴く現代

中 村 紘 子著

中央公論社

目次

チャイコフスキー・コンクール

——ピアニストが聴く現代——

福田章二さんに

はじめに

チャイコフスキー・コンクールは、正式名をチャイコフスキー記念国際コンクールといい、一九五八年の第一回以来四年ごとに、モスクワのコンセルヴァトーリ（正式にはチャイコフスキー記念音楽院）大ホールを中心に、ピアノ、ヴァイオリン、チェロ、声楽の四部門にわたって催される音楽コンクールである。期間は六月から七月にかけて約一ヵ月、審査は第一次予選、第二次予選、本選の三段階があり、参加資格は十七歳から三十二歳まで（時々変更がある）という年齢制限があるのみ、今回一九八六年はピアノ部門において三十四ヵ国から百十一名のコンテスタントが参加した。

私は、一九八二年の第七回コンクールに引き続き、今回もこのコンクールのピアノ部門の審査員として、約一ヵ月間、ほぼ連日、一日平均十時間というもの、モスクワ音楽院大ホール一階の中央、前から五列目左寄りの席に座って、世界各国から集まったピアニストたちの演奏を聴き、そしてさまざまなことを考え感じて過した。

コンテスタントたちの演奏は、もちろん基本的に未完成で未熟だけれど、しかし、文

化や伝統を異にする世界各国からの膨大な参加者の演奏に耳を傾け続けるうち、あるいはその未熟さ故なのか、不思議に刺激的なもの想いに駆られるのは何故だろう？　と私は前回の審査のときから思ってきた。

今から十五年前、ニューヨーク・タイムズ紙上で四半世紀にわたって卓抜な音楽評論の筆を揮ってきたハロルド・ショーンバーグが初めて来日し、私を案内人にして、東京の演奏会のハシゴをしたことがあった。さまざまな演奏を聴きながら、彼は膝の上に拡げたプログラムに盛んにメモしていたが、時々ニヤッとして私にそのメモを示すことがあった。ミッキー・マウスがうまく描けたときであった。

コンクールの一ヵ月間、私も審査用紙によく愛猫タンクの絵を描いた。隣の審査員がのぞきこんで尻尾にリボンをつけ足し、うしろからのびた鉛筆が眼鏡を描き込んだりした。

しかし、審査用紙に書いたのはもちろん猫だけではなかった。以下、私が記すのは、いわばその審査用紙に書き込んだメモ、そしてそれに連なるもの想いである。

I　スーパースターの誕生

1　ギレリス・フィーバー

モスクワの六月は、気まぐれである。

暑いとなると殊のほか暑く、寒いとなると殊のほか寒い。

前回の一九八二年のチャイコフスキー・コンクールのときは、六月十日にモスクワ・シェルメチェヴォ空港に降り立ったら、空は鉛色、東京の真冬という感じで小雪がちらついていた。それまで真夏の軽装で東独を演奏旅行中だった私は、あわててモスクワ在住の日本の知人からカシミアのスウェーターに毛のショール、裏に暖かい毛皮のついた分厚いブーツにいたるまでの一式を借りうけ、しばらくの間は着たきりスズメで震えていた。それでも風邪をひいてしまい、カラシの湿布などというクラシックな治療を受けながら、二日ばかり寝込んでしまった。

そこで、今回は十分の冬仕度を整えて、吹雪でも何でもやってこいという感じでモスクワに降り立ったところ、今年の六月十日のモスクワときたら、まるでタヒチにでも来たようだった。宵の口だというのに、白夜のモスクワの空は抜けるような青さで、肌を刺すように強い太陽が燃え、沿道の白樺の林も新緑が湧き立つようだ。

市内に入ると夏の光のせいか、モスクワの銀座通りゴーリキー大通りのショウ・ウィンドウも華やぎ、往来する人々の表情も浮き浮きとして見える。このゴーリキー大通りの突き当りがあの「赤の広場」である。一九六九年の冬、初めてモスクワを訪れ、この「赤の広場」を見たとき、旅慣れたはずの私の心に珍しく、「ああ、旅に出たな」という感傷が湧き起ったものだった。チョコレート菓子のような「歴史博物館」、赤い星のきらめくクレムリンの城壁、魔法の絨毯に乗って飛んできたかのような聖ワシリー寺院の黄金色の屋根や極彩色の姿かたち……。何度見ても、私はエキゾチックな気分にさせられて、軽い昂奮を覚えるのである。

そしてこの「赤の広場」の手前を右折し、次の信号を曲ると、モスクワ音楽院のあるゲルツェン通りが始まる。

このゲルツェン通りに面した、コンクールの行われるモスクワ音楽院の正面には、チャイコフスキーの銅像をとり囲むようにして、コンクール参加国の国旗がはためいていた。その銅像の足元に、そしてそこかしこに、白い綿毛のようなものが吹き寄せられまっ白に積っている。ポプラ科かなにかの植物の種子なのだが、モスクワの人はこれを「春の雪」と呼ぶ。「春の雪」は、風にのって室内にまで入り込んでくる。しかし、コンクールの予選が進んで本選になる七月の初め頃には、もうどこかに姿を消してしまう。

さてモスクワ音楽院は、このチャイコフスキーの銅像を中心に、コの字型を描くよう

に建てられている。中央には一七〇〇人を収容する大ホールと六〇〇名ほどの小ホール、それをはさんで左右は教室、レッスン室、事務室や食堂その他さまざまな学校としての施設がある。

一八六六年に創立されて以来、このモスクワ音楽院は数えきれないほど多くの優れた音楽家たちを育み、世に送り出してきた。

大ホールのロビーの一角には、この音楽院を金メダルを手に卒業した生徒たちの名前が、金文字で記念に刻み込まれている。私は、このホールにくるといつも、この名誉ある大理石の板の前に立ち、あるひとりの少女の名前を探す。ラフマニノフ、スクリャビン、マキシモフ、レヴィン、といった名前に続いて、私の探していた少女の名前が現れる。一八九八年、ロジーナ・ベッシー、のちのロジーナ・レヴィン、私のジュリアード音楽院での恩師の十八歳の栄光の記念である。

そもそも、少女時代の私の夢は、いつかモスクワ音楽院に留学してエミール・ギレリスに学ぶ、ということだった。

エミール・ギレリスは、一九一六年にウクライナ共和国のオデッサに生れたソヴィエトの大ピアニストである。この黒海に面したオデッサという町には、かなり大きなユダヤ人ゲットーがあり、そこから多くの素晴しい音楽家たちが生れた。ギレリスの妹と結

婚し義理の兄弟となったヴァイオリンのレオニード・コーガンや、ダヴィッド・オイストラフもここの出身である（ギレリス、コーガンの義兄弟は、先年相ついでこの世を去ってしまった）。

ギレリスは一九五七年の秋に初めて来日し全国各地で演奏を行ったが、当時中学の二年生であった私は、東京で初めて彼のリサイタルを聴き、長い眠りから揺さぶり起されたような強い衝撃を受けた。「ピアノとはこういう音が出るものなのか。ピアノとはこう弾くものなのか」と、初めて教えられたような気持にさせられたのである。

その頃の我が国はまだ貧しく、文字通り発展途上国であったから、招聘される音楽家も今日のラッシュぶりからは想像もつかないほど少なく、またそのほとんどが、戦前のSPレコード時代に全盛を極めた老大家たちばかりであった。それこそ、初めて来日した時のホロヴィッツではないけれど、「ひびの入った骨董」に近い人たちが多かったのだ。当時の日本の一般レベルでは、功なり名とげた有名な大家でなければ、なかなか切符を売りさばくことができなかったのであろう。

幼い私も、そんな老大家たちのリサイタルに何度か連れていって貰った記憶がある。しかし、枯れた演奏とでもいうべきなのだろうか、彼らの過去の栄光をかみしめて初めて味わい深くなる種類の演奏に共鳴し感動を得るには、私はあまりにも子供だった、というよりも率直なところ、退屈であったという印象しか残っていないのである。

それが、何故か中学一年生のとき、レフ・オボーリンの独奏会に行って、本当に心の底から感嘆することになってしまった。ピアノ独奏会の最初から最後まで、身じろぎひとつせず聴き入るなどということは、私にとって初めての出来事であった。オボーリンはモスクワ生れで、当時すでに五十歳。一九二七年の第一回ショパン国際コンクールの優勝者であり、ロシアがソヴィエト体制になってから登場した最初の大ピアニストであり、そして、戦後の日本が初めて迎えるソヴィエトからのピアニストでもあった。

その強烈な印象で、私の内におけるピアノというもののイメージが変りつつあるとき、こんどは四十一歳の男盛り、演奏家として脂ののり切ったパリパリのギレリスがやってきて、その最初の一音で私を圧倒したのである。以来、私の世界は変ってしまった。ギレリスが東京でのリサイタルの初日で演奏したベートーヴェンの「悲愴ソナタ」は、それまでの私が抱いていた「ベートーヴェンは死にそうに退屈」というイメージを吹き飛ばしてしまった。今思い出してみると、その頃までの私は、第一級の演奏家の生演奏でベートーヴェンのソナタなど聴いたことがなかったのである。十四歳の私は、ギレリスの演奏のすべて、その一挙手一投足に、夜も眠れないほど夢中になった。

朝から晩まで彼のレコードを、一日に何十回となく繰り返し聴き、ギレリスの名前が載っている印刷物はたとえ一行であっても見逃すことなく収集して、二冊のスクラッ

プ・ブックに整理する。東京における彼の四つのリサイタルと二つのオーケストラとの「協奏曲の夕べ」を全部聴き、その都度花束や日本人形を手に楽屋口に佇《たたず》む。そして、ホテルにせっせと手紙を送る。時代こそ違っていたが、私にも「ブーニン・フィーバー」のような一瞬があったのである。もっとも、そのちょうど十年後に私はニューヨークで再びギレリスを聴いた。そして、私はそのとき、自分が理想とするピアノ演奏はもはや必ずしもギレリスとは一致してはいないということを発見して、ほろ苦い気持を味わったのであった。

さて、そんな私の熱烈な思いが神に通じたのかも知れない。ギレリスの離日寸前に東京芸大の奏楽堂で行われた彼の公開レッスンで、各音楽大学から選抜された優秀な若手ピアニストたちにまじって、慶応義塾中等部の二年生にしか過ぎなかったこの私が、彼の前で演奏することになったのである。私の「ギレリス・フィーバー」ぶりを見て、恩師の井口愛子先生が、私を大学生のなかに押し込んで下さったものらしい。

そして私は、習ったばかりのショパンのスケルツォ第二番を演奏した。緊張と昂奮でガタガタ震えていた私は、自分の演奏について憧れのギレリスがなんと仰せられたか、残念なことにはっきりした記憶がない。しかし彼は、世界がばら色に変るような温かな微笑を口元に浮かべて立ち上ったかと思うと、天来の声のように魅惑的な響きのロシア

語で、一言二言なにか私に語りかけてきた。なにか賞めてくれたようだった。そして、私の手を優しく握りしめた。なんという、ほっこりと温かく柔らかな手であったことだろう（私はそれから一週間、ギレリスに握られた右手を洗わないで過した）。

さてそのあと、ギレリスを囲んで芸大の先生方とのお茶の会となった。その席上、ギレリスはどちらかといえば寡黙であったような印象が残っているが、しかしただひとつはっきりと覚えている言葉がある。

「来年、一九五八年の春、私たちソヴィエトの音楽家は大変に重要で素晴しい催しを計画しています。ロシアの誇る大作曲家、チャイコフスキーの名をとった国際的な音楽コンクールの開催です。このコンクールは、革命後のソヴィエトが国威をかけて催す初めての国際的な大コンクールであり、権威ある重要なものとなるでしょう。私はピアノ部門の実行委員長でもありますから、もし、日本からの参加者があれば心より歓迎いたします」

2　ヴァン・クライバーン

さて話は一気に飛ぶが、ちょうど同じその頃、アメリカはテキサス州のキルゴアとい

う小さな町に住む青年が、ニューヨークから一通の手紙を受け取っていた。差出人はジュリアード音楽院ピアノ科教授のロジーナ・レヴィン夫人、そして受取人である青年の名はヴァン・クライバーン、ニューヨークで三年にわたってレヴィン夫人について学んだあと生れ故郷キルゴアに戻り、フランツ・リストの孫弟子に当る母親のピアノ教室の手伝いをしながら、うだつの上らない日々を過していたところであった。

一九三四年生れのヴァンは、十七歳まで母親についてピアノを学び、その後ジュリアード音楽院に入学して、レヴィン夫人のクラスに入った。そして、一九五四年にニューヨークのレヴェントリット・コンクールに優勝し演奏活動を開始したが、あまりパッとせず演奏会の口も途絶えがちだった。

かねがねその才能が埋もれてゆくのを惜しんでいたレヴィン夫人は、あるとき偶然なことから第一回チャイコフスキー・コンクールのパンフレットを手に入れた。それによって彼女は、コンクールの開催される場が、かつて彼女が青春時代を送り、未来の夫ジョセフ・レヴィン（ピアニスト、一八七四年〜一九四四年。モスクワ生れ。ヴィルチュオーゾとして今世紀前半一世を風靡した。一九二四年からニューヨークのジュリアード音楽院の教授となり、アメリカのピアニスト教育の基盤を作った）にめぐり逢うこととなったモスクワ音楽院の大ホールであることを知ると、突如として熱い郷愁に駆られたのだった。そして、その思いのなかに、ヴァン・クライバーンの名前が浮かび上ってきたのである。

のちに、夫人はこう語っている。

「コンクールの課題曲のリストを眺めたとき、私の心には、ヴァンこそがこのコンクールにふさわしいという信念のようなものが湧き起りました。彼はロシア音楽に気性がぴったりでしたし、スケールが大きく、しかも極めてロマンティックな音楽性を具えていました。そのうえ、人間的にもロシア人好みのところがあったのです」

レヴィン夫人はヴァンに二度手紙を出した。二度目の手紙で、夫人は彼をこう説得した。

「一、あなたはコンクールに向けて猛練習をすることになるでしょうが、それは結果がどうであれ、あなたにとって良いことです。

二、その結果、あなたのレパートリーは大きく拡がります。

三、コンクールでは、あなたの同世代の最上の競争相手たちに出会って、大きな刺激を受けることになるでしょう。

四、そのうえ、もしかすれば、あなたは優勝するかも知れない！」

こうしてレヴィン夫人に説得されてニューヨークに戻ったクライバーンが、モスクワに向けて本格的な準備に取り組み始めたころ、日本では十四歳の私が、朝な夕なにギレリスのレコードを聴きながら、学生コンクールの中学生部門を目指して頑張っていたというわけだった。いつの日かモスクワ音楽院に留学し、ギレリスの薫陶を受けられるよ

うになることを夢見ながら。それから五年ののち、この私がモスクワでなくニューヨークに行き、ギレリスではなくてそのレヴィン夫人に師事するようになるとは、夢にも知らず。

ところで、一九五八年当時のニューヨーク・タイムズ紙に、マックス・フランクルという若く野心に燃える記者がいた。

フランクルは、フルシチョフ政権の紅一点、文化大臣のフルツェヴァ女史を中心として企画された大々的な国際コンクールが春にモスクワで開催されると聞き、大きな興味を抱いた。当時ソヴィエトはフルシチョフ、アメリカはアイゼンハウアーの時代で、いわゆる米ソの冷戦が「平和共存」に向って変りつつあった時で、ちょうどその冬、それまでソ連では発禁となっていたボリス・パステルナークの『ドクトル・ジヴァゴ』が西側で出版され、大きな反響を呼んだばかりだった。ソ連の内でも外でも人々は、いつパステルナークがスターリン時代のように銃殺されるだろうか、言いかえれば、フルシチョフのいわゆる「平和共存路線」がどこまで本気なのか、とかたずを呑んで見守っていた。そして事実フルシチョフは、沢山の外国人重要人物を招待している第一回チャイコフスキー・コンクールを三ヵ月後に控えて、パステルナークに結局何ひとつ手を出せず、その処置を日一日と延ばしているところだった。そのうえ、チャイコフスキー・コンク

ール組織委員会委員長は、かつて「人民の敵・形式主義者」と体制派から攻撃された、作曲家のドミトリー・ショスタコーヴィッチではないか。フランクルのジャーナリストとしての好奇心が大きく刺激されたのも、当然のことであったかもしれない。

そして一方では実際のところ、当時のアメリカ人一般は、ソ連人について極めて乏しくかつ偏狭な知識しか持ち合せていなかった。クライバーンのような若い人々でさえ、国際コンクールといっても本当に「キャピタリスト」たちをモスクワに踏み込ませてくれるのだろうか、と、なかなか信じなかったといわれる。それでいて、アメリカ人が一番関心を寄せているものは、なんといっても「ソ連」であった。フランクルは、このコンクールの模様をドキュメンタリー・タッチで、連続読物として紙上に連載することにした。

さていよいよコンクールが始まってみると、このアメリカ・テキサス州の一田舎町出身の、内気そうでひょろひょろと背の高い若者の弾くピアノは、またたく間にモスクワじゅうを沸かせることとなった。夢見るような瑞々しいロマンティシズム、攻撃的なところの一切感じられないナイーヴさ、一抹の哀愁、極めて自然な音楽の運び方、どんな大曲難曲をもまるで子供の曲のようにらくらくと弾きのけてしまう驚異的な技巧……。加えて彼には、天性の初々しい人間的魅力が具わっていた。ロシア生れのレヴィン夫人が予見した通り、モスクワの聴衆はこの青年の音楽性だけでなく、舞台でのマナーや表

情といったものまですっかり気に入ってしまったのである。そのうえ、政治の上では冷戦状態が長く続いていたが、いやそれだからこそ、モスクワっ子はアメリカ人が大好きであった。それは、今日でも変らない。

クライバーンに対するモスクワの聴衆の熱烈大歓迎ぶりが拡がるにつれ、フランクル記者のレポートは迫力を増した。アメリカの人々は次第に、このモスクワで行われているソ連史上初の大々的な国際音楽コンクールの予選で人気をさらっている「テキサス人」について、関心を持ち始めた。フランクル記者の報道は、まさにスリルとサスペンスに溢れていたのである。人々は昂奮し、毎日のレポートに一喜一憂した。「敵地」でけなげに頑張っている我が同胞の若者の姿に愛国心をかき立てられ、あるときは手に汗を握り、あるときは感動の涙を流した。そしてその結果、いよいよ本選にクライバーンが出場、となる頃には、もしこれで彼が優勝をとげたら国を挙げての大騒ぎ、というところまで「国民的関心」は盛り上っていったのである。

「国民的関心」が盛り上ったのは、アメリカばかりではない。ソ連では、コンクールの始まる一年もまえからチャイコフスキー・コンクールのためのソ連代表を選ぶ予選が行われ、そこで選ばれた若い音楽家たちは、各々、ピアノ、食事、車つきの別荘をあてがわれて、モスクワ音楽院の教授たちによって猛特訓を受けていた。まるで人類初めての偉業を成しとげる宇宙飛行士、といったところだった。なにしろ、国家の威信がかかっ

ているのだ。ところが、アメリカの、それも聞いたこともないような町から聞いたこともない名前の青年がやってきて、モスクワじゅうの人気を一人占めしてしまった。あわをくったのはソ連政府で、本選の行われたコンセルヴァトーリ大ホールの貴賓席にはフルシチョフ首相以下ソ連政府高官がずらりと並んで、ソ連代表たちを叱咤激励したという。余談になるが、ソ連最高首脳部がコンクールを聴くのはその先ゴルバチョフの出現まで絶えてなかった。

そして、にもかかわらずクライバーンは優勝した。

ずんぐりムックリした小柄なフルシチョフが、身長二メートル近い、ひょろひょろとやせたクライバーンに祝福のキスを与えている写真は、全米の新聞のトップを飾り、人々を熱狂させた。戦後のソヴィエト政府が国威をかけ、ソ連音楽文化の素晴しさを世界に向って誇示する目的で設立したこのコンクールを、無名の内気な一アメリカ青年が制覇した！　ちょうどその前年、アメリカは、ソ連の打ち上げた人類初の人工衛星スプートニクによって最先端科学の面で大きく水をあけられ、屈辱感を味わわされていた。ところが、そこに胸のすくような若者が現れたのだ。

　こうして、アメリカを発つときは全く無名であった青年が、その一ヵ月後帰国したときは「国民的英雄」になっていた。それこそ一夜明けたあとのバイロン卿など比較にな

らないほどのスケールで。それからの彼の人生は、今やアメリカの代表的な「サクセス・ストーリー」として、伝説化している。

ワシントン空港でのアイゼンハウアー大統領自らの出迎えと祝福の抱擁、ホワイトハウスにおける大祝賀パーティ、ニューヨークの五番街を紙吹雪や色とりどりのテープを浴びての凱旋パレード、そして極めつきは、コンクールの本選で指揮をとったソヴィエトの巨匠キリル・コンドラシンを従えてのカーネギー・ホールにおける優勝記念演奏会……。このとき演奏したチャイコフスキーとラフマニノフの協奏曲は、ライヴ録音盤で残っているが、特にラフマニノフのピアノ協奏曲第三番の演奏の美しさは、今日に至るまでこれ以上の名演を私は知らない。

その昔、かのフランツ・リストが故国ハンガリーで演奏したときは、国王、王妃、貴族から市民に至るまでのことごとくが、熱狂のあまり彼について離れず、とうとうしまいには国境まで送って別れを惜しんだというエピソードが残っている。単なる一ピアニストが受けた栄誉と歓迎としては、この二十四歳の青年が受けたものは、実にリスト以来の華々しいものであったに違いない。

彼の弾くチャイコフスキーのピアノ協奏曲第一番のレコードは、発売されてからわずか二週間足らずのあいだに、百万枚という驚異的な売上げを樹立した。全世界から公演の依頼が殺到し、当時世界で最も強力なインプレサリオ（マネージャーというよりずっと

強力な語感をもつ興行師）であったソル・ヒューロックがマネージメントを引き受け、一夜にしてクライバーンを世界で最も出演料の高いピアニストに仕立ててしまった。その価格は、一説によれば、一九六〇年代のはじめの頃で八千ドルから一万ドルの間、といわれている。当時ピアニストで一番ギャラが高いとされていたのはアルトゥール・ルービンシュタインだったが、クライバーンはそれを抜いたと噂された。

タクシーの運転手から食料品店のおやじさんから、教会の尼さんから小学生にいたるまで、アメリカじゅうの老いも若きも男も女もクライバーンの成功に夢中になり、我がことのように語り合った。そして、「まるでクライバーンみたい」というたとえが、テレビ、映画、ミュージカルなどのあらゆるメディアのなかに氾濫した。

「スーパースターの誕生」である。

そしてそれから五年後、彼の生れ故郷テキサス州では、フォートワース市の資産家たちと全米ピアノ教師連盟のメンバーが集まって、州の生んだスーパースターを記念する国際ピアノコンクールを、全市をあげて開催すると発表した。

「ヴァン・クライバーン国際ピアノ・コンペティション」の誕生である。

しかし、皮肉なことには、彼の栄光が輝かしいものになっていけばいくほど、クライバーンの演奏そのものは不調に陥っていった。アメリカという社会は、スターに決して休息の間を与えない。一日休めばその間にライバルが現れてチャンスを奪いとることを、

みな知っているからである。それゆえスターは、まるでくるくる廻るコマのように、休むことなく人々の前に登場し続けることになる。クラシック音楽のスーパースター、クライバーンとてもこの例外ではなかった。いつ何処に行っても大衆は、クライバーンにチャイコフスキーのピアノ協奏曲を要求した。彼には新しいレパートリーを勉強する時間もなかったし、また、そんなものに関心をもってくれる人は、ごく少数であった。批評家たちは彼を「どれもこれも速く弾きすぎる」とこきおろし、同業者のピアニストたちは「ヴァンはこの頃どれもこれもゆっくり弾きすぎる」とあざ笑うようになった。彼は青ざめ、不安に満ちた眼差しで、おどおどと人を見つめるようになった。

やがて彼は、極度の神経衰弱に陥り、コンサートも外出することも人と会うことも、一切合財を拒否して、まっ暗に光を遮ったマンハッタンの自宅の一室に、終日閉じこもるようになる。疲労し切っていたのは精神ばかりではなかった。彼の最後の来日（七五年）の折、手の治療を行ったスポーツトレーナーの井上良太氏によれば「腕の筋肉はまるでストローを束ねたようにぱさついていて、全身の筋肉疲労をすっかりとるには、少なくとも半年は治療を続ける必要を感じた。あのまま放っておけば早晩ピアノを弾くことができなくなるであろうと危惧した」ほど、肉体もまたズタズタだった。

当時彼ほどアメリカの社会、ひいては現代というものを象徴した存在は、他に類例を

みなかった。マスコミ、米ソ冷戦、実力、成功、若さ、名声、富、ナイーヴな彼に欠けていたものは、女性とのロマンスだけだった（ホモという根強い説がある）。しかしそうしたものは、結局のところスーパースターを創造することはできても、一個の芸術家を静かに育み成熟させることはできなかった。

およそチャイコフスキー・コンクールに限らず、国際音楽コンクール全般に対して一般大衆が大きな関心を寄せ始めたのも、このクライバーン以来のことである。

かつてはあれほどアメリカじゅうを沸きたたせたこのスーパーヒーローは、一九三四年生れで現在五十四歳という、一般論でいえば男盛りの年齢にさしかかっている。ピアニストとしてもこれから大演奏家としての円熟を期待される年齢である。しかし実際には、ごくまれにテキサスなどの小さな会場で演奏することがあるという噂はきくものの、もはやその演奏ぶりについて語る人は、ほとんどいない。

最近では一九八八年にゴルバチョフが初めて訪米した折、ホワイトハウスの晩餐会でクライバーンが演奏している姿がテレビで報道された。「モスクワ郊外の夜はふけて」というロシアのポピュラーソングを華やかにアレンジした曲を弾いているのをちらりと見た限りにおいては、クライバーンのあの卓越したテクニックの片鱗はうかがえたように思えたのだが。

3 ブーニン

ヴァン・クライバーンを今世紀半ばのアメリカが生んだスーパースターの典型とするならば、スタニスラフ・ブーニンはロシア人であるにもかかわらず、この現代日本の社会が生んだスーパースターの一典型なのかも知れない。

　この二人には、その演奏ぶりも時代も国籍もすべてが全く異なっているにもかかわらず、まことに似通った点がある。

　一九八五年の秋、ワルシャワでショパン・コンクールが始まったとき、NHK番組制作局音楽部の天野晶吉ディレクターは、取材に飛び廻っていた。今回のショパン・コンクールには、二十六人ものピアニストたちが日本から参加している。ショパン・コンクールを受ける日本人の数は毎回増加していたが、今回は数だけでなく、質も相当に高いと思われる才能ある若手たちが、入賞を狙っているとされていた。

　天野ディレクターたちは、ひとつ、そうした若い日本人ピアニストたちの姿を中心に、ショパン・コンクールというものを音楽番組としてでなく報道番組としてとらえようと、そう考えていたのである。

そして、その一ヵ月余りのコンクール期間中のフィルムを、彼は二本の番組にまとめた。一本は「NHK特集」として四十五分のものに、そしてもう一本は、コンクールの本選会などの模様を演奏中心に二時間五十五分の番組に。

彼の発想は、マックス・フランクル記者が初めから明らかにクライバーンをマークし、一日刻みでその活躍ぶりを報道して、全米のナショナル・ヒーローにまで作り上げていった手法とは、その焦点の絞り方において違っていた。しかし結果的には、クライバーンにおけるニューヨーク・タイムズの役割を、ブーニンにおいてはNHKの総合テレビが果たしたことになる。

いみじくも「ブーニン・シンドローム」とさえ呼ばれた、ブーニンを迎えての日本の聴衆の熱狂ぶりについては、改めて語るまでもあるまい。

もちろん、かつてのクライバーンにしても、このブーニンにしても、何よりも先ずチャイコフスキー・コンクールとショパン・コンクールという、二つの世界的権威を誇る伝統的な価値判断の場で認められた実力と才能をもっていたからこそ、その存在があるのだといえよう。事実、ブーニンの演奏にしても、基本的にはロシアン・スクールの肌《き》理《め》濃やかなピアニズムを身につけていて、その点では極めて伝統に従ったごく上質な奏法を展開する。

しかしブーニンの演奏は、そのいわば語り口において時として極めて独善的な表現に片寄ることがあって、おそらくそこが賛否はともかく、ブーニンを特徴づけるものとなっていると思われる。

独善的でない芸術なんてあるのだろうか、と、この若者は挑戦するかのようである。そしてそこに私は、この十九歳の青年の、いかにも感受性豊かな若者らしい反逆精神、すなわち、のちに詳しく述べるが「コンセルヴァトワール」を中心とした、どっしりと重々しくのしかかるモスクワの伝統に対する気負いと、そして、これは私のうがち過ぎなのかも知れないが、モスクワの音楽界のなかに厳然と聳えたつ巨人リヒテルに対する過剰なまでの自意識を見出して、微笑ましく思うのである。

リヒテルが演奏で築き上げる世界には、その造形や構造の壮大さ、精神性の極まりなどにおいて、ときには作曲家自身をも凌駕すると思わせるものがある。そのリヒテルの全盛期にこの世に生れ少年期を過した若者にとっては、潜在意識のなかでの彼の実在感というものは、計り知れないほど重く巨大であるに違いない（ついでながらそのリヒテルは、ブーニンの祖父ネイガウスに師事したことがある）。

ブーニンのあの若い男の子らしい強引で無邪気な自己主張、アグレッシヴなまでにぐんぐん人を引っ張っていくスピード感、爽快感や解放感、といった特徴が、モスクワピアノ界の大御所であった祖父、美貌の才子であったが早くして亡くなった同じくピアニ

ストの父（ブーニンはその庶子である）、そしてリヒテルやギレリスなどの巨匠たちへのやや無謀な反抗と挑戦と聞こえるのは、私だけであろうか。しかし一つの結果として、そうした熱いテンペラメントと、アントン・ルビンシュタイン以来のロシアン・スクールお家芸であるところの「器楽的ベル・カント」の巧みさとが、実にいきいきとした音楽を作り出したのは事実であった。固定した価値観や先入観を有さない日本の一般の人人をもって、その演奏を「理屈抜きにして、とにかく面白い」と感じさせたのも、当然のことであろう。

しかし、それにしても今回の「ブーニン・シンドローム」、ついには一万人を収容する国技館での、拡声器をつけての超満員のリサイタルとはいったいなんだったのだろう？　公平に言ってブーニン以前にも、各コンクールの優勝者たちを初めとして、ブーニン同様の或いは明らかにそれ以上の才能をもつピアニストが何人も日本に登場した。そして絶讃を博し、ある者は一種のブームさえ起した。

しかしそれらの出来事はすべて、楽壇という小さなコップの中の世界でのことであって、一般社会にはほとんど関わりあいのないものであった。ところが今回、ブーニンはその小さなコップをぶち破って、広い世界へと飛び出してしまった。これはまさに、テレビというマス・メディアの力なくしては起り得なかった現象としか、言いようがない。

そういえばこの五月、私はダニエル・ブアスティンとディナーを共にする機会があった。

この碩学はのっけから、「日本ではラジオやテレビをひねると、西欧のポピュラー音楽ばかりやっているように見えるけれど、日本の伝統音楽はどうなっているのでしょう」というヤバイ質問を発して、私をシャンパンにむせさせた。

「それは大変複雑な問題なのですが……」と私は、この難しい、しかし私にとってはもはや慣れっこになった気もする質問について説明を試みたが、オードブルとスープを若干犠牲にしたぐらいでは足りなかったのはいうまでもないことである。

ご承知の通りブアスティンは、名高い『ジ・イメージ』(邦訳「幻影の時代」)という本で、現代アメリカ社会、特にそのマス・メディアが、偉大な英雄に代って「有名人《セレブリティ》」という存在を作り上げる機能について見事に描いた。この本が出版されたのは一九六二年のことで、私が一九六三年にジュリアードに留学した頃、大変評判になっていた。一九六二年といえば、ちょうどあのヴァン・クライバーンがスーパースターとして誕生し、華やかに活躍していた頃にあたる。クラシック・ファンでもあるブアスティンは、このクライバーンの栄光を当時どう見つめ、そしてその後の悲劇をどう眺めたのだろうか。

それはさておき、今回のブーニンの場合について、私はいってみれば「日本人ピアニ

スト」として、かつてない種類の興味を持っている。

改めて言うまでもないことだが、日本はその驚異的経済成長と共に、クラシック音楽のマーケットとしても、世界的に巨大なものとなった。いまや世界じゅうの演奏家たちが、日本での演奏を望んでいるといっても過言ではない。

もちろん、これまでもよく揶揄《やゆ》されてきたように、巨大なマーケットとはいっても、それはあくまでも彼らにとって経済的な、言ってみれば「出稼ぎ」の場に過ぎなかったのは確かであろう。しかし、どんなことにおいてもそうだが、量的な拡大が質的な変化をもたらす、ということがあり得る。言いかえると、「出稼ぎ」というのは即ち、日本での演奏活動が彼らの音楽家としてのキャリアにとってなんの価値ももたらさないということだが、このことに質的な変化が現れるかどうか、という問題である。

そこでブーニンなのだが、彼は日本で大々的に西側へデビューした実に最初の外国人ピアニストである。詳しく言うと、彼は一九八三年に史上最年少の若さでパリのロン・ティボー・コンクールで優勝し、そして、昨年のショパン・コンクールで優勝した。普通こういったコンクール会場には、西側諸国のインプレサリオたちが、鵜の目鷹の目で未来のスーパースターを狙って詰めかけている。そして彼らは才能を認めると、いち早く契約を結び、西側重要都市でのデビューをはかる。そして、演奏家たちはその西側でのデビューの「成功」を後光のように背にして日本にジェット機で天降ってくる、とい

うのがこれまでの通例であった。

ところがブーニンの場合は、彼がソ連人であるという「制約」下にあるにしても、いずれにせよ西欧でのインプレサリオたちの食指を動かさせるまでに至らなかった。今年の日本での演奏旅行が、文字通り彼の西側でのデビューであった。そして、彼は日本において未曾有の大成功を収めた。

そこで私が興味を持つのは、では、このブーニンの日本における「大成功」が、果して逆に西欧諸国のインプレサリオたちの関心を改めて掘り起すかどうか。更に、仮にインプレサリオがつき、西欧でデビューした場合に、日本における成功に匹敵するような反響が起るであろうか、というこの二つの点にある。

何故ならば、もしこの二つが実現した場合には、日本というクラシック音楽世界の大マーケットが、単なる受身の量的なものでなく積極的に質的な意味を持つことになるからだ。つまり、日本がただの「出稼ぎ」の場でなくなり、演奏家にとってキャリアを作る場所となる。それは言いかえれば日本人の見識が評価されるということでもある。

十九歳の青年を、このような試金石にしてしまうのは勝手すぎるというものだろう。実際問題として、ブーニンの教師であるドレンスキー教授は、ブーニンが西欧で演奏をまだ行っていない理由について、こう弁明した。「なにしろ、まだ学生だから、夏休みしか国外に出られないのだ」と。

いずれにしてもブーニンの大成功は、その大成功ゆえに日本の楽壇のみならず広く社会現象として、毀誉褒貶ただならぬものがあった。しかし私としては、いま述べたような意味からも、彼がその才能を豊かに育てて、ぜひとも日本だけでなく世界のスーパースターになってくれることを願ってやまないのだ。

II

神童からコンクールの時代へ

4　神童出現願望

白夜の朝は、早い。

薄いカーテンを通して射し込んでくる太陽の眩しさと、外を往来する車の騒音に起されて枕元の時計を見たら、まだ朝の四時であった。

コンクール関係者の宿泊場所であり事務局のヘッドクォーターも設置されているこの「ホテル・ロシア」は、モスクワ市の文字通りまんまんなか、クレムリンの隣り合せに位置するロの字型の巨大なホテルである。フルシチョフ時代に建設された、当時としては超モダンなホテルなのだが、五千室もあって、建物の東西南北をまちがえると、廊下で迷子になってしまうほどだ。私の部屋はモスクワ川に面していて、かつてはホテルのなかでも静かな一角とされていたところだが、絶え間なく往きかうトラックなどの震動が十一階のここまで響いてくる。長い冬に閉ざされた国では、短い夏を迎えると騒音まで開放的になるのだろうか。それとも、モスクワでも交通量が増えたのだろうか。

さて、ピアノ部門の第一次審査は、いよいよ六月十一日の朝十時から、モスクワ音楽院大ホールで開始された。

プログラムによれば、今回すなわち第八回チャイコフスキー・コンクールのピアノ部門には、世界三十四ヵ国から百五十九名のコンテスタントが参加することになっていたが、実際の参加者は百十一名であった。そのちょうど一ヵ月ほど前、例のチェルノブイリ原発事故が発生し、実は私自身もひそかに行くか行かぬかで迷い、モスクワや外務省の友人に相談したほどだった。いったい人が集まるのだろうかと内心怪しみながらモスクワに到着したのだが、この百十一名という数字は予想をはるかに上廻るものであった。

参加者のなかでいつも一番多いのはアメリカで、今回は三十五名(うち十二名が棄権)、ついで多数は我が日本で二十一名(うち棄権は九名)、以下フランス十六(三)、ユーゴスラヴィア十一(三)、ソ連十一(ゼロ)、英国九(五)、西独八(四)、イタリア四(二)、オーストラリア四(三)、チェコ四(ゼロ)、オーストリア、ベルギー、ブルガリア、ハンガリー、ベトナム、ベネズエラ、インドネシア、イラク、スペイン、カナダ、北朝鮮、韓国、キューバ、ナイジェリア、ポーランド、ポルトガル、リビア、シリア、ウルグアイ、東独、フィンランド、スイス、中国などが、二、三人乃至は一人の参加である。西側ことにアメリカや日本からの棄権が多かったのは、やはりチェルノブイリの影響であろうか。

チャイコフスキー・コンクールはその第一回で松浦豊明氏が第七位に入賞して以来、日本人にも大変人気がある。ピアノ部門では第七回に小山実稚恵さんが入賞しているだ

けだが、ヴァイオリンでは、潮田益子、加藤知子、チェロでは岩崎洸、藤原真理などの諸氏が高位に入っている。今回も前回に続いての日本人の高位入賞が大いに期待されるところである。

いっぽう審査員の顔ぶれは、十四ヵ国から二十一名、主催国ソ連から三分の一に当る七名、あとは日本、チェコ、ブルガリア、東独、ルーマニア、ポーランド、キューバ、スペイン、ポルトガル、アメリカ、フランス、イギリスの各国から集まり、審査委員長には、ソ連の作曲家アンドレイ・エシュパイ氏が当った。

参加申し込みには、当年とって十七歳から三十二歳の者までという年齢制限以外は、あまり厳しい制約はない。チャイコフスキー・コンクールでは、私の記憶に間違いなければ、年齢の上限はかつては三十歳までだったように思う。この辺に関しては、毎回それほど厳しい決まりがあるわけでもないようである。そして、下限はチャイコフスキー・コンクールに限らずどこのコンクールでも、ほぼ十六、七歳から、というのが一般的になっている。

このコンクール参加年齢の制限は、簡単に言うと、コンクールというものが、クラシック音楽の普及とその大衆化という社会基盤の発展の上に成立したことに関係する。クラシック音楽の普及と大衆化とは、即ち音楽教育の普及と制度化ということでもあ

るが、それは言いかえると、優れたピアニストが広く組織的に育てられることを可能にする一方で、思いもかけぬ神童が突如として未知の領域に生れる、そしてしかも三十歳過ぎまで埋れたまま終る、などということはほぼあり得ない、という状況を「常識」としてもたらしたと思われるのである。言ってみれば、コンクールとは極端に早熟、或いは極端に晩成の異常な天才のためにあるものでなく、あくまでも正常な才能のための定期的発掘装置とでもいうべきものなのだ。

言うまでもなくこれは、なんだか少し淋しいような常識である。とりわけ早熟の天才を期待しないという意味を持つ下限制限の方は、夢に欠けるであろう。そこで興味深いことには、むしろそのアンチテーゼのように、欧米には神童モーツァルトの六歳でのデビュー以来、まことに根強い「神童出現願望」のようなものがあって、それはそれで伝統化されている感じさえある。

そして事実この「神童出現願望」に促されて、過去においていかに多くの天才少年少女たちが現れ、そして消えていったことだろう。神童たちがその名声の重みに押しつぶされることなく大成した例は、当然のことながら極めて少ない。

これについて私にはひとつ、忘れ難い思い出がある。

私がニューヨークのジュリアード音楽院の学生だった頃、当時親しくしていたアメリ

カ人の友人から、ある日突然、三十代の半ばごろと見受けられる一人の女性を紹介されたことがあった。アメリカ人としては小柄で手足のか細いわりには肩や腰の奇妙にいかつい、細い眼に二重あごの、要するにお世辞にも魅力的とはいえない女性であった。その女性は、私のスタジオアパートメントでコーヒーを一緒に飲み雑談を交しながら、ふと部屋の一隅にあるピアノに目をとめると、さり気なく近寄って演奏し始めた。ショパンのピアノソナタの第三番であった。

彼女のその行動は、時にアメリカ人に見受けられるような、下手にもかかわらず無邪気に得意がるとか、あるいはアグレッシヴにこちらを驚かせようとするとか、そういった気配は全く感じられない淡々としたものであった。私には、そのとき何故彼女が突如として私のピアノで演奏し始めたのか分らない。たぶん、単に自分自身のために弾きたくなったのだろう、とでも思うほかない。

その演奏は技術的にはそれほど難のあるものではなかったが、音は痩せ全体に輝きが乏しい平板でこぢんまりとしたものだった。それで私自身はなんら感銘を覚えなかったのだが、私はふとそのとき彼女をみつめる私の友人の、アイリッシュ系の緑の眼が、心なしか涙でうるんでいるのを見たような気がした。

あとになって私は友人から、その女性はルース・スレンチェンスカといって、かつてはアメリカじゅうを沸かせた「天才少女」であったこと、十代のはじめにレコードを出

しベストセラーにもなった大スターであったことなどを初めて聞かされた。のちに分ったことだが、日本でも一部の熱心な音楽ファンのあいだには、記憶されている名前であった。

それにしても、なんという淋しい後ろ姿であったことだろう。ただ一度しか会っていないのに、その姿かたちは奇妙にはっきりと、いまだに私の眼に焼きついている。

神童といえば、今回、ソ連のクラシック音楽界が最も高く評価する天才少年キーシンの来日公演が日本で好評を博したことを、私はとても興味深く思った。ブーニンに熱狂する一方で、キーシンを温かく迎え高く評価した日本の多元的価値観とは、たんに新しがりの異端好みではなく、モスクワに最も典型的に温存されている西欧ピアノ音楽の伝統的価値観をも含む多様さなのだ、ということを確認できたと思うからだ。

夏に来日したあのブーニンと同じく、キーシンにとっても、今回の日本での演奏が、西側社会におけるデビューということであった。これが日本でなくたとえばアメリカであったなら、キーシンは瞬く間にインプレサリオたちの寵児となっていたことだろう。そして彼らは、キーシン少年にまだ天才「少年」とか神「童」とかがくっついているあいだに、一刻も早く世界の大スターに仕立て上げてしまおうと、大騒ぎを展開したに違いない。

いうまでもなく、神童も十代の後半に達してしまうと、その有難味はグッと減る。うかうかしていると十六歳でショパン・コンクール第二位、十八歳でエリザベス・コンクールに優勝したアシュケナージ、十六歳でブゾーニ・コンクール第一位のアルゲリッチ、十八歳でショパン・コンクール第一位のポリーニなどといった人たちとキーシンもすぐ比較されることになるからである。そうしたことは当然心得ているはずのソ連文化省が、この素晴しく貴重な才能をアメリカをも含めた西欧にまず送り込む代りに、日本で演奏家としての場数を踏ませることにしたとすれば、ブーニンの場合とは違った意味でまことに思慮深いことだったといえるだろう。

もちろん、コンクールでの優勝が一流の場での演奏チャンスを得るためのものであるとしたら、キーシンは既にそれを必要としないとも言える。にもかかわらず、一説によればソ連文化省は、キーシンを次回一九九〇年のチャイコフスキーかショパン・コンクールに送り込んで、劇的にデビューさせるために西側での活動をあえておさえているという話もある。いずれにしても、そのとき十九歳となったキーシン少年に、幸運の女神が大きく微笑むことを、私はただ祈るばかりである。

5 国際コンクールの誕生

そもそもピアノの国際コンクールは、一八九〇年ベルリンで開催された第一回国際アントン・ルビンシュタイン・コンクールが最初とされている。

それまでにも、ヨーロッパ各国の音楽学校内で行われる競争試験はもとより、リスト対タールベルグのように、当代随一とされるピアニストにそのライヴァルを組合せた、一種の競演会のようなものは、数多く行われていた。しかし、クラシック音楽の普及度ということの違いもあるが、何よりも通信や交通の手段が限られた時代にあっては、基本的に大規模な国際コンクールは成立し得なかった。

それまでのヨーロッパ社会においては、才能ある無名の音楽家が世に出る方法は非常に限られていた。即ちまだ十分に若ければ、ベートーヴェンやウェーバーのように「神童モーツァルト」の再来として名を広めるか、あるいは王侯貴族や地元の君主の援助によってチャンスを得るか……。

数年まえ九十六歳で天寿を全うしたアルトゥール・ルービンシュタインの回想によれば、実質的には第一次大戦まで、ヨーロッパの音楽社交界はモーツァルトの時代と大し

た変りはなかったという。王侯貴族たちは依然として音楽や芸術の分野において「金」と「権力」をほしいままにしていたうえ、みな姻戚関係で結ばれていたから、そのグループの一員に認められるということは、とりも直さず、将来各地での数多くのコンサートを得ることにもつながっていた。

そうした時代からこの二十世紀へと移り変る端境期、いわばコンクール以前の時代の生んだ最後の神童とでもいうべき存在に、ジョセフ・ホフマンがいる。一説によれば、ホフマンこそは音楽史上有数にして二十世紀最大の神童であったともいわれる。

彼は一八七六年ポーランドのクラコフに生れ、六歳で「ピアニストとしてすでに完成した」と謳われ、九歳でハンス・フォン・ビューロー指揮のベルリン・フィルハーモニーとベートーヴェンの「皇帝」を演奏し、その成功によって翌年ニューヨークに招かれてメトロポリタン歌劇場を満員にして、「大人の演奏としてみても第一級」とニューヨーク・タイムズ紙に絶讃された。その早熟ぶりは、完成しているという点においては神童の元祖モーツァルトさえをも上廻り、そして「十二歳でパリを、そして全欧州を征服した」ともてはやされたフランツ・リストをはるかにしのぐと評されたほどのものだった。

ところがこのホフマン少年は、ニューヨークでの大成功いらい演奏会が殺到し、眼の

まわりに青いくまがでるに及んで、とうとうニューヨーク児童虐待防止協会というところから、断固クレームがつくこととなった。そのため彼はコンサートステージを退き、ロシア最初のピアノの巨匠と謳われたアントン・ルビンシュタインの唯一の弟子として勉強に専念することに決め、そして十八歳で再びピアニストとしてカムバックしたのだが、人々の期待を裏切ることなく、今世紀前半を代表するロマン派的巨匠として活躍した。晩年はアメリカ、フィラデルフィアにあるカーティス音楽院の校長として過し、一九五七年にその地で亡くなっている。ロマン派ピアノ音楽における最後の到達点とされるラフマニノフのピアノ協奏曲第三番は、このホフマンに捧げられている。

ジョセフ・ホフマンの名前は、今日日本では既に知る人も少なく、なんと音楽之友社発行の人名辞典にさえものっていない有様だが、それはひとつには彼がモーツァルトやリストとちがって作曲家として一流の作品を残さなかったこと、更に演奏家としても、晩年にアルコールで健康を害していたこともあって、惜しむらくはそのレコードのすべてが大変に古く悪い状態でしか残されていないことなどにも原因があると思われる。

私はニューヨーク・レコードライブラリーの好意によって、彼が五十一歳のとき演奏したショパンのピアノ協奏曲第二番の極めて貴重な実況録音のコピー――これは当時の金持音楽愛好家が個人的に録音したものだが――を入手しているが、その必ずしも良好とはいえない音質の彼方から拡がりくる詩情、色彩の輝かしさ艶やかさ、そしてまさに

ヴィルチュオーゾ的なコントロールの絶妙さは、文字通り息を呑むばかりである。

さて話をコンクールにもどすと、最初の国際的大コンクールである第一回アントン・ルビンシュタイン・コンクールの優勝者は、かのイタリアのフェルッチョ・ブゾーニであった。そして第二回は五年後の一八九五年に行われ、モスクワ音楽院の学生で二十歳のジョセフ・レヴィンが一位の栄冠を得た。先に登場したヴァン・クライバーンの育ての親であり、私のジュリアード音楽院における恩師でもあったロジーナ・レヴィン夫人の未来の結婚相手である。

このときのプログラムや記録を見ると、すでに「国際コンクール」というものの趣旨と目的とスタイルとが、この時点ではっきりと出来上っていることに気づく。即ち、五年に一度の開催、古典から現代曲に至るまで、小品から大作、独奏曲から協奏曲に至るまでのピアノの主要作品を網羅した課題曲、名誉だけでなく多額の賞金とそして多くの演奏契約を含む賞の内容。百年後の今日私たちが行っているものと、何ひとつ変るところがない。

ちなみにこのジョセフ・レヴィンが優勝した第二回のときは、ヨーロッパ各国、北米、南米、それにオーストラリアから三十名のピアニストが参加し、それを二十六名の国際的顔ぶれの審査員が審査した。第一位の賞は、五千フランとヨーロッパ各地における四

十回の演奏契約であった。

日本ではコンクールというと、オリンピックのアマチュア精神に象徴されるごとく、「参加すること」に意義を見出す傾向があるが、現実には国際コンクールという場は、アマチュア精神など無関係な、極めて現実的なプロ発掘の現場でもある。そして多くの場合、無名の演奏家にとってコンクールに優勝することは、単に名誉を得るということよりも、むしろもっと実利的な利益を意味するのである。

さて、このアントン・ルビンシュタイン・コンクールは、第一次大戦の勃発と共に途絶えてしまったが、その後のヨーロッパには、一九二七年のワルシャワのショパン・コンクール、一九三七年のブリュッセルのイザイ・コンクール（のちにエリザベス王妃コンクールと改称）などをはじめとして、実に多くの国際音楽コンクールが台頭した。その数は、第二次大戦後急激に増加し今なお増え続けていて、現在ジュネーヴにある国際音楽コンクール認定委員会が承認したものだけでも実に六十五以上、更にローカルなものまで含めたら、恐らくその倍ではきかないと思われる。

第二次大戦後に設立された国際コンクールはより多元化し、内容も伝統的スタイルをとるものから斬新なものまでさまざまとなったが、そのすべてに共通する新しい特徴を形づくるものの第一に、多国籍化があげられる。即ち、いわゆるクラシック音楽文化の

本家本元とされているヨーロッパ主要諸国以外の国、例えばカナダのモントリオール、アメリカのテキサス、オーストラリアのシドニーから最近では日本の東京まで、音楽コンクール主催地の領域が拡大した、と同時に、殊にこの過去二十年余りの著しい現象として、日本人を含めた東洋人の台頭が目立ってきたのだ。たとえば各有名大コンクールにおいて、さながらかつてのジャル・パック団体旅行のごとく、日本人演奏家たちが群れをなして参加し、さまざまな意味において人々の注目を浴びるといった事態が起っているのである。

すなわち「本家本元」が好もうと好むまいと、クラシック音楽の普及と大衆化の世界的進展を背景に、クラシック音楽の世界にさまざまな形で関与する「非本場人」の人口比率は年を追って増加しているのであり、ソ連を中心とした東欧社会と違って価値観が多様化かつ流動化しつつある西側ヨーロッパでは、既に本場といえどもその影響を受けざるを得ないような状況さえ生じつつあると思われる。

二十世紀も余すところわずか十四年となった今日、クラシック音楽において二十世紀とは「国際コンクールの時代」であった、という見方も成り立つであろう。その「国際コンクールの時代」の後半に登場することとなった日本人を含めた「非本場人」たちの役割というものが、二十一世紀に入って果してどのようなものになるのであろうか……。

6　幸運について

ところで、演奏家を目指すべての若者が、神童または大コンクールの優勝者になれるとは限らない。幸運という、いわば第三の道についても触れておこう。

あれは確か一九七二年のことであったろうか。たまたまオランダのハーグで、アルトゥール・ルービンシュタインと演奏会が前後したことがあった（これは蛇足だが、このアルトゥールの方はポーランド人で、ペテルスブルグとモスクワの二大音楽院の創立者、ロシアのニコライとアントン・ルビンシュタインの兄弟とは全く関係ない）。偶然にも主催者が同じであったので、私はインプレサリオに伴われて老巨匠にご挨拶かたがた記念のサインをおねだりするために楽屋を訪れた。すると、この灰色の優しい眼をした小柄な巨匠は、「私の年若いコリーグ、ヒロコ・ナカムラへ」とサインしてから、突然改まった顔つきになったかと思うと、やおら胸のポケットからこともあろうに私の写真をとり出し、そして恭しくこう言った。

「では、こんどは私にサインを下さいますか、マダム？」

その様子がいかにも温かいユーモアに溢れ、しかもエレガントであったので、その場

に居合せた人々はみな陽気に騒ぎたて、とうとう私は天下のマエストロ・ルービンシュタインにサインをする羽目となってしまったのだった。

それはさておき、そのとき、私たちの横を黙ってすり抜けて楽屋を出ていく三人の若者がいた。あとで知ったのだが、なんと彼らは高齢のルービンシュタインの万が一を狙って自主的に現れ待機していた無名のピアニストたちだったのである。彼らは、老ルービンシュタインにとっては気の毒なことだが彼らにとっては千載一遇の幸運になるかもしれないこと、の勃発を期待していたわけだ。もっとも、そんな若者が目の前をウロチョロしていたにもかかわらず、この当時すでに八十八歳の老巨匠は若者顔負けのエネルギーと艶やかさをもって、ショパンとベートーヴェンの協奏曲を二曲演奏し、更に余裕たっぷりにアンコールを三曲弾きのけて、悠々とステージを退場したのであった。

かのレナード・バーンスタインが、急病になったブルーノ・ワルターのピンチヒッターとして指揮棒をとり一躍脚光を浴びることになった例とか、急病になったグレン・グールドの代りにニューヨーク・フィルの定期でリストの一番を弾くことになったアンドレ・ワッツ少年を持ち出すまでもなく、欧米では多くの若者が、こうして至る所で幸運を狙ってひしめく。実のところ、幸運さえ手に入るなら、コンクールなど受ける馬鹿はいないのである。

現代の代表的なピアニスト、ホロヴィッツとリヒテルのそのどちらもが、「神童」に

も「国際コンクール」にも無縁なまま世に出たというと意外に思われる方もあるかもしれないが、見方を変えれば、あの天下のホロヴィッツでさえ、西欧で大成功するには「第三の道」幸運を必要とした。彼は一九二二年、ハンブルグで急病となった女流ピアニストのピンチヒッターとして、オーケストラ・リハーサルもなくぶっつけ本番でチャイコフスキーのピアノ協奏曲を弾き、そして聴衆を狂喜に沸かせたのである。

これは余談とすべきかもしれないが、このホロヴィッツにはピアニストに関するかなり有名な言葉、日本だったら「大臣罷免」問題にでも発展しそうな「放言」がある。

「ピアニストには三種類しかいない。ユダヤ人とホモと下手糞だ」

加えるにホロヴィッツはこうも言い放った。

「東洋人と女にはピアノは弾けない」

多くの世を沸かせる放言失言の類いには、えてして或る種の暗黙に了解された真実が含まれているわけだが、このホロヴィッツの場合も、特に前の断定などは、クラシック音楽に詳しい人々をして思わず苦笑させるような生々しさを含んでいる。事実、欧米のクラシック音楽界の舞台裏では、褒めるにしろけなすにしろ、このホロヴィッツの言葉にある人種と性癖によって音楽家たちの実力以外の「運・不運」を分り易く論じるということが、日常茶飯事となっているのである。

「音楽は世界の共通語」といった「標語」を初めとして、日本の特にクラシック音楽愛好家の間には、クラシック音楽とそれに関係する世界全般に対する片想いにも似た純粋なイメージが育まれていることが多いが、現実にはクラシック音楽の世界もまたあらゆる意味で人間の世界である。実際問題としてクラシック音楽の国際舞台裏では、芸術というものの持つ「血」との関わり合いという本質的問題のみならず、人種、民族、国籍から個人の係累、そして性癖に至るまでの諸々の要素が複雑にからみ合って、具体的には或る音楽家の「運・不運」を左右するということが、むしろ自然なこととして認められているのである。そして今日も又、世界のここかしこの「ルービンシュタインの楽屋」で、多くの若者たちが万に一つの「幸運」を狙ってひしめいている。

ところで、ともに偉大でしかも全く対照的にさえみえるこのホロヴィッツとリヒテルという、現代のピアニストの頂点をなす二人が、ともに「国際コンクール」に無縁なまま世に出ながら、現実には「国際コンクール」の場でしばしば引合いに出されるところが面白い。

次節で述べるように、コンクールにおける審査には「コンセルヴァトワール」に象徴される或るオーソドックスな価値判断の基準があり、その基準とはよい音楽を生むためのさまざまな具体的な要素の集積として採点される現実性を或る程度までもっている

（そうでなければ、コンクールは成立しない）。ところが、一見唐突のようではあるが、そういった価値基準を総合し、つきつめていったところには、コンクールの現実とはかけ離れた理想のピアノ音楽、理想のピアニストとでも呼ぶべきものがあるわけで、そういった理想のいわば典型が、現在ではホロヴィッツとリヒテルに代表されるのである。たとえばどこのコンクールにおいても、審査をしながら審査員たちが、思わず冗談半分にぼやく言葉がある。

「こんなに厳しい審査では、仮にホロヴィッツが受けたとしても、とうてい受かりっこないだろうね」

これは大体、一つのミスもせず難曲を速いテンポで弾きのけ、にもかかわらず結局落選という結果に終ったコンテスタントたちの点数を眺めたりしているときに出る冗談である。ところがそうぼやく彼らが、ではピアニストの中でいったい誰を一番尊敬しているかといえば、異口同音に、「ホロヴィッツ」という答が返ってくるのだ。

スティーヴン・ビショップ＝コワレヴィッチというアメリカの中堅ピアニストがかつて語ったところによれば、アメリカに優れたピアニストが育たないのは、ひとえにニューヨークに住むホロヴィッツの存在のせいだということになる。アメリカの若いピアニストはみな、その未熟な時期にホロヴィッツに出会い、彼の魔力の虜となってしまう。そして自己の才能も省みずにホロヴィッツを模倣し、自滅する。

「だから、自分はニューヨークを逃げ出したのだ」というのが、コワレヴィッチの結論であった。

彼はホロヴィッツから逃げ出したその一方では、スラヴ系の名前の方がヴィルチュオーゾらしいと、自分の遠いルーツからコワレヴィッチというスラヴ的な名前を探し出してきて、スティーヴン・ビショップ＝コワレヴィッチとアングロサクソン系の名に尻尾をつけてしまった。などというと陳腐な人物に聞こえるかもしれないが、彼自身はなかなか素晴しい一流のピアニストである。

端的に言ってホロヴィッツは、ピアニズムからいうとラフマニノフで頂点を極めた十九世紀ロマン派的ロシアン・スクールの、現代における唯一の継承者といえよう。彼が現代最高のテクニシャンである（あった？）ことは知られているが、しかしその魅力の最大の特徴は、実はディテイルの扱い方にひそんでいる。たとえば、ショパンのマズルカなどにおけるさり気ないメロディの歌い方、ムソルグスキーの組曲「展覧会の絵」の二曲目などの内声部のゆらめきなど、何気ないものが彼によって突如ズームレンズのように拡大されたり、遠くにふっと突き放されたりする。メロディやベースを美しく魅惑的に弾くピアニストは沢山いるが、ホロヴィッツのように内声にひそむさまざまなメロディを、あたかも第三本目の手が備わっているかのように自由奔放に弾きのけるピアニストは他にいない。

興味深いことに、そういった彼の最も魅惑的なディテイル、例えば或る一音を強調する為にハーモニーを崩して弾いたり、構成上当然大きく盛り上ってしかるべき個所を、むしろ逆に弱音におとして心理的な効果を一層高めるというようなことは、大抵の場合、アカデミックな演奏解釈の約束事においては「やってはならない」とされていることが多い。即ちホロヴィッツの演奏には、世のまじめな先生方が「真似をしてはいけませんよ」と生徒に諭すものの典型が「きらきらと」溢れているのである。ホロヴィッツが殊にショパン演奏においてその魅力を最大に発揮し得ているのは誰しもが認めるところであり、ショパンの本家と自負するポーランドにおいても、ホロヴィッツのショパンがピアニストたちの間で熱狂的な支持を得ているのは明らかである。にもかかわらず、「本場のプロフェッサー」たちのショパン解釈は、一から十までホロヴィッツのやり方とは正反対、といってもいい過ぎではないのである。

一方、リヒテルの演奏は、すべての若いピアニストが考え得る限り最高の手本とすべき、ユニークにしてまっとうな正当さ、とでもいったもので確固と築き上げられている。そのふところの深さには宇宙的ともいうべきものがあり、ときにはシニカルなまで作品を客体化してしまう洞察力をみせる。彼の集中力は、実に驚異的なもので、ほとんど念力とか超能力とでもいう分野に近い。そして、その超能力をより堅固なものとして保持する為の一種の修行として、彼は一日に十時間を超えるほどの練習を今日も続ける。

「一日二時間以上は弾かないよ。筋肉が疲れるだけだからね」と称するホロヴィッツとは、この点でも実に対照的である。

リヒテルの演奏は、すべてのピアニストから尊敬され、勉強の手本とされる。しかし、「リヒテルのようなピアニストを目指して頑張ろう」と本気で思うピアニストは少ない。というところがまた、極めて興味深い点であろう。

一方ホロヴィッツの演奏は、すべてのピアニストから憧れられるが、実際に勉強の手本にしたら一巻の終りだと広く信じられている。まるでセレーネかローレライといった感じであるが、しかし、「ホロヴィッツのようになりたい」と心密かに思ったことのないピアニストはいない。

7　コンセルヴァトワール——審査基準——

さてチャイコフスキー・コンクールに限らず一般にコンクールというものは、根本的には非常に安定した価値観によって、支配されている。先ず第一に価値判断を下す人々、つまり審査員は、その大多数が各国のコンセルヴァトワールの教授たちである。

今回のチャイコフスキー・コンクールを例にとってみても、世界十三ヵ国から集まった二十一人の審査員のうち三分の二までが、各々の国のコンセルヴァトワールないしはそれに類する制度のもとでの教授活動を、自分の生活の中心に据えている人たちであるといえる。そのうちで教授活動だけでなく、演奏家としても現役で活躍しているのは、ソ連のタチアナ・ニコライエヴァ女史、ポーランドのハリーナ・チェルニー＝ステファンスカ女史など、ごく一部にすぎない。

そしてこのコンセルヴァトワールとは、文字通りコンセルヴァティヴなのである。

私が見聞した限りでは、西欧諸国における教育の基本理念には、音楽だけでなくすべての分野にわたってこの「コンセルヴァトワール」があると思われる。即ち、この場合のコンセルヴァトワールとは日本における保守的といった言葉のイメージとはどこか違い、伝統のある規範や基本を徹底的に踏襲させることが教育の基礎であって、独創や改革はその基盤があってこそ開花する、という信念である。特に音楽のように基礎的技術の習練に時間とエネルギーが必要なものにおいては、その信念はいっそう明確で、そしてピアノ教育にあってはコンセルヴァトワールの具体的な意味は、基本的には十九世紀に爛熟完成をみたピアニズムの継承、言いかえるなら、ロマンティシズムの継承を中心とする。

そしてこの十九世紀に成熟したロマンティシズムの継承、さらに言えば温存は、チャイコフスキー・コンクールの舞台であるロシアにおいてこそ、最も典型的に実現されたといえよう。即ち、このような「ロマン派的感受性」は、もともとロシア人の気質や気候風土によくマッチしたこともあろうが、その帝政時代から更には革命後の政治体制を通じて、社会的にも地理的にも半ば西欧から隔絶されたような状況が続いたことによって、十九世紀後半から現代に至るまでのあいだに、他に比類ないほどの確固とした「コンセルヴァトワール」の世界を伝統芸術の分野において築き上げたのだ。ピアニズムについても、同様である。

そして事実このいわばロシア式ピアノ技法、とでもいう奏法は、「ロシア出身（もちろんユダヤ系も含んでの）でなければピアニストにあらず」といわれたほど多くの素晴しいピアニストたちを生み出した。今世紀に入ってからの話に限ってみても、私が思いつくまま数え上げただけでその数は八十余名にも及ぶ。そのなかにはスクリャビン、ラフマニノフに始まって、プロコフィエフ、ホロヴィッツ、ギレリス、リヒテルといった超弩級の演奏家たちも当然のこととして含まれている。そしてこのような「実績」を背景として、コンセルヴァトワールはその極めて安定した信念と価値観の伝統を更に継承していく、という構造になっているのだ。

そしてロシアにおいて、このコンセルヴァトワールの世界を常に中心にあって今日ま

で支えてきたのが、全ソ連邦のピラミッド型音楽教育の頂点に立つモスクワ音楽院《コンセルヴァトーリ》であり、ここでは当然のこととして、この「ロマン派的感受性」とそこに根ざした「技法」というものが、何よりも重要視されることになる。これを抜きにしての「ヴィルチュオジティ」(これこそまさに、十九世紀ロマン派の所産)など、彼らにとってはあり得ない。

モスクワに限らず他の西欧諸国のコンセルヴァトワールでも基本的には同様であるが、このように過去の価値観の蓄積が、ゆるぎなき遺産として目の前に君臨する世界では、その根本を覆すようなものはもちろんのこと、およそ異質な価値観をなかなか受けつけようとはしない部分が存在するのは、むしろ自然のことであろう。さまざまな価値観の波に洗われもまれて、そのなかで比較的自由に自分の好みを表現できる日本やアメリカのような国とは、全く違うのである。しかし、逆に言えば、その点にこそ「コンクール」が成立する基本的条件がある、ともいえよう。

この、ピアノにおけるコンセルヴァトワールの具体的意味が十九世紀ロマンティシズムの継承であるということは、

「ショパン(あるいはロマン派の作品)を聴くまで、その才能に決定的評価を下すのは待て」

という言葉によく象徴されている。

この言葉は、かつて私が教えを受けたロジーナ・レヴィンやニキータ・マガロフのような、ヴェテラン教育者であると同時に優れた演奏家でもあった人々が実によく口にする言葉であった。即ち、ショパンが弾ける者にはバッハもベートーヴェンもあるいはいっそジョン・ケージまで弾ける可能性があるが、その反対はまず起らない、と。

そしてこのことを理解するためには、ピアノという楽器の歴史を遡らなければならない。周知のように、ピアノという楽器は、産業革命による良質の鉄の製造技術の発展により大きな飛躍をとげた。簡単にいうとピアノの弦というものは、長く強く引っぱられることによって、より豊かな響きを生み出す。すなわち鋼鉄製ピアノ弦と、その弦の張力を支える鋳鉄製のフレーム、つまりは強靭な鉄の出現こそ、当時のピアノ製作者たちにとって、夢の実現をテクニカルな側面から可能にした最大の理由であった。

ワルシャワの近郊、ジェラゾヴァ・ヴォラにあるショパンの生家に行くと、生前彼が使用していたピアノがいくつか保存されている。そのなかには恐らく一八〇〇年代の初頭に作られたものであろう、ショパンの幼い頃に愛用した楽器も二つほど含まれているが、それらは現代のものとは比較にならないほどこぢんまりとしたもので、グランドピアノというよりもハープにキーボードをつけたようなものであったり、あるいは今日のスピネット型ピアノなどに近い形をしている。ところが十九世紀も半ば近くになり、殊

にショパン自身がその改良に大きく貢献したといわれるパリのプレイエル製のピアノとなると、弦やフレームの鉄製部分の画期的進歩はもちろんのこと、大きさ即ち音域もぐっと広がり、キーボードからハンマーに至る部分のアクションなどにもめざましい進歩をとげていることが一目で分る。

或る夏の昼下り、私はこのショパンの生家のサロンでリラの花の香りに包まれながらリサイタルをしたことがある。ちなみにそのとき使用したピアノは、残念ながらショパンの遺品ではなく、ごく当り前の現代のスタインウェイであった。

私はまた、フランツ・リストが晩年に愛用していたというピアノを一台持っている。一八七五年にウィーンのベーゼンドルファー社が製作したものだが、これは現代の私たちが使用しているものに比べても、音域が一オクターブ弱狭いことを除けば、あとは基本的にはもうほとんど変るところがない。ヨーロッパの片田舎に行けば、今でもこのくらい古いピアノで練習している人は決して珍しくはないであろう。それにしても、この典雅で馥郁《ふくいく》たる音色を奏でるベーゼンドルファーを眺めていると、かつて幼き日のショパンの使用したピアノからこの晩年のリストのピアノに至るわずか五十年間に起った、ピアノとピアノ音楽の激しく大きな変化の道のりが思われて、私は改めて熱い感動を覚える。

作品、演奏、そしてそれを作曲家及び演奏家の要求通りに表現する楽器と、この三者が一つに合体することによって、十九世紀にピアノ芸術はあらゆる意味で急速に発展し、その美の頂点を極めることとなった。

今日私たちがピアノの演奏会でとりあげる作品の圧倒的多数は、この時代の作品である。何故なら、今述べたように、ピアノという楽器自体の発展完成と一体化して成熟した、とでもいうべきロマン派の作品以上にピアノという楽器の魅力、特質を余すところなく表現し得るものはないからである。そしてそのことは、演奏技術の多様性、表現力の豊富さ、といったピアノ演奏技法上の基本的問題につながっていく。

言いかえれば、今日私たちが使用しているピアノは、ベートーヴェンからショパンやリストに至るロマン派の作曲家たちの、芸術家としての夢を叶えた理想の楽器である、といえるだろう。その表現能力は実に幅広く、弾くタッチの指先の角度のちょっとした違いをも感じとるデリカシーをもつ一方で、三千人を収容する大ホールで、分厚いオーケストラのテュッティ(合奏)をつき抜けて隅々にまで堂々と響き渡るほどの逞しさを併せもつ。その表現能力は、それ自体一つのオーケストラとよく言われるように、無限とさえ形容できるほどのものであり、それゆえに演奏者の曖昧な表現意志は曖昧なまま甘受するいっぽう、一つの確固としたイメージをもってその多彩な能力を制御することも可能となる。グレン・グールドのバッハなどは、そうした奏法の極端な一つの典型で

あったといえよう。

好むと好まざるとにかかわらず、ピアニスト修業の仕上げの過程においてロマン派を多く勉強せざるを得ないのは、ピアノという楽器自体の発展と一体化して成熟していったロマン派の奏法を身につけることによってこそ、ピアノの表現能力の多彩さ、そしてその制御方法を知ることになるからである。そしてそのなかに、あたかもロマン派ピアノ音楽の核を成しているかのように存在するのが、フレデリック・ショパンである。

「ショパンはピアニストの試金石」といわれる意味は、まさにここにある。

ショパン・コンクールが、そのプログラムの内容をショパンという作曲家の作品に限定しているにもかかわらず、何故チャイコフスキー・コンクールやエリザベス・コンクールなどといった大コンクールと同様に重要視されているのかは、もうここでその理由を改めて述べるまでもないことであろう。

また、チャイコフスキー・コンクールにしても、その課題曲は古典から現代曲までと幅広いが、しかしその中心となっているのは十九世紀ロマン派の作品と、そしてチャイコフスキーからラフマニノフにつながるロシア・ロマン派の作品であることも当然といえよう。

III

コンクールが始まる

8　なぜかサッカーと重なる

いよいよコンクールが始まった。

朝十時。コンクールの一日が始まる時刻なのだが、ホテル・ロシアから外国人審査員たちを乗せてくるバスは、時間ギリギリに滑りこむのが通例である。そこで控室への一番乗りは、だいたいこのコンセルヴァトーリの近所に住む人たち、すなわちソ連の審査員たちということになる。

ヴィクトール・メルジャノフ教授が現れる。第二次大戦後初めて行われた全ソ連邦ピアノ・コンクールに戦地から駆け戻り、第一位をリヒテルと分ち合ったというピアニストだ。チャイコフスキー・コンクールの審査には、一九六二年の第二回以来毎回たずさわっており、その他にも過去三十年間、エリザベス・コンクールやショパン・コンクール、ハンガリーのリスト・コンクールなどの審査員を務めたりして、いわば戦後のめぼしい若手を聴き尽してきたヴェテランである。またショパン・コンクール二位入賞者で日本でも人気のあるシェバノワをはじめとして多くの若手を育てた先生でもある。

メルジャノフ教授は、今日はややお疲れのようだ。控室に入ってくるなり、あくびを続けざま盛大にする。

「そうそう、今朝は、あなたの生徒が演奏するんでしたね？」

「ええ、それで早起きして、いままでレッスンしてやったのですがね、なにしろ、このところ連日審査が深夜十一時すぎまででしょう、少々こたえますな」

たしかに今年は例年より重労働である。従来ならば第一次予選は一日八時間ずつなのだが、今年は十時間なのだ。そして、これは審査員たちに密かに囁かれたことなのだが、例のチェルノブイリ原発の事故によって、年間の国家予算も追いつかないほどの大損害を受けてしまったことからくる緊縮財政の影響なのであるという。たしかにコンクールの開催期間そのものも、この一日十時間という労働時間の延長によって、従来よりも一週間短縮されてしまった。

合理化（?）されたのは、審査時間ばかりではない。参加者たちの滞在期間も、従来は各予選の節目までホテル・食事付きでモスクワにいることができたのに、今年は毎日当落の結果を集計し、二十五点満点中明らかに十七、八点という当落のボーダーライン以下の採点を受けた者は、即日モスクワからお引きとり願うかたちとなった。といっても、このチャイコフスキー・コンクールの参加者への待遇は、他のコンクールに比べてずば抜けてよいことに変りはない。とにかく参加者たちすべてが、コンクールに受かっ

ているあいだじゅうはホテル・食事代と、仮に落ちても帰りの飛行機の片道切符をもってくれることになっているのだから、その経費だけでも、ピアノ、ヴァイオリン、チェロ、声楽の四つの部門を合せると、ものすごい数字になることだろう。

メルジャノフがコーヒーを飲んで一息ついているところに、ニコライエヴァ女史とマリーニン教授が入ってくる。タチアナ・ニコライエヴァは、バッハの研究家として日本でも知られたピアニストである。小柄ながらいかにもロシア女性らしく堂々とした体型で、上唇のうえにうっすらとひげがある。

エフゲニー・マリーニンも日本に何度か来ているピアニストだが、ソ連の審査員のなかでは一番手厳しく辛辣で、いつも「文句あっか」とでも言いたげな顔つきをしているが、本当は照れ屋なのだ。大変な愛煙家で、マルボローから手が離れない。

そこに、セルゲイ・ドレンスキー教授が、りゅうとしたニナ・リッチのネクタイで登場。しかし、目がはれぼったい。

「ああ、なんてことだ。ついまた徹夜をしてしまった。どうして、サッカーの世界選手権大会とチャイコフスキー・コンクールとは、いつも同じ年の同じ時期に重なり合うのだろう！」

そしてふとマリーニンのマルボローに目を止め、一本失敬する。朝からこの調子では、彼の悲願である禁煙はまた明日以降にもち越されることだろう。

やがて、石の階段をざわめきの一団が登ってきたかと思うと、ホテル・ロシアからバスで運ばれてきた外国人審査員たちの姿が現れる。朝の挨拶とキスの音がひとしきり続く。

キューバのフェルナンデス教授とルーマニアのグレゴリー教授が、たちまちドレンスキーを囲んで、昨夜テレビで放映されたサッカー戦について情熱的にまくしたて始める。うっかり聴き流していると、喧嘩でもしているのではないかとびっくりしてしまうぐらい威勢のよい会話だ。この三人のサッカー談義が過熱し、まるで沸騰した熱湯のようにカッカと湯気が立ちのぼってきたところで、

「さあさあ、皆さん」と、文化省の役人氏が割り込んでくる。「もう十五分遅れです。下に行って、審査を始めましょう」

9　マドンナ

審査員の控室の下にあるモスクワ音楽院大ホールでは、一七〇〇席を埋め尽した聴衆が、審査員たちの登場を今や遅しと待ち構えている。

ホールの一階、ステージから五列目には、グリーンのクロスのかけられたテーブルと

椅子がしつらえてある。審査員の席である。私たちはステージに向って右手の扉から聴衆の待ち受ける客席に入っていくのだが、この際いつも決って同じことが繰り返される。

「あなた、どうぞお先に」

「いえ、そちらからこそ、どうぞお先に」

そして各々がお互いに他の人物とおしゃべりに興じて、なかなか動こうとしない。時間を気にした文化省役人氏がじりじりとし始めるころ、審査委員長のエシュパイ氏が明るく陽気に、ややおどけて「レディ・ファーストにしましょうよ」とかたわらの女性審査員の肩を抱いてリードする。これが何故か毎回判で押したかのごとく行われて、ほとんど一種の儀式化されているわけだ。

さて、聴衆の拍手を浴びながら、各国の審査員たちはめいめいのネーム・カードの置かれている席に着席する。審査員席の中央は、審査委員長のソ連の作曲家アンドレイ・エシュパイ氏、その左右に副審査委員長であるアメリカのダニエル・ポラック氏とポーランドのハリーナ・チェルニー＝ステファンスカ女史が座る。私は、ステージに向って左手、スペインのフランシスコ・アロンソ氏とソ連のヴィクトール・メルジャノフ氏にはさまれた、八二年の時とほぼ同じ位置で今年も聴くことになった。

各自の前には、藁半紙にガリ版刷りで、本日のプログラムが用意されてある。それを、参加者の顔写真と略歴入りのカタログに照らし合せながら、審査員たちはコンクール開

始まえのいっときを、しばし思い思いの期待に心をめぐらす。プログラムの頁を繰る度に、カタログを綴じるのに使用されたニカワの臭いが室内の熱気に蒸れてツンと鼻をさす。

このカタログを手に席に座ってふと思い出されるのは、四年前の第七回コンクールでのことである。私はソ連のレフ・ヴラセンコ教授と隣同士の席となり、本選終了までの一ヵ月間を過した。

ヴラセンコは、第一回のチャイコフスキー・コンクールでヴァン・クライバーンに次いで第二位を受賞したピアニストで、ソ連ではリストの作品のスペシャリストとして名声を得、その全作品をレコーディングしている。近年はモスクワ音楽院の教授として、プレトニョフなどをはじめとした多くの俊英を育てており、先生としても第一級の人である。しかし、素顔の彼はグルジア人らしく明るく陽気でくったくなく、私たちは百年来の知己のようにすぐさま打ちとけ、まことに心なごやかな一ヵ月を過したものだった。

ところでそのヴラセンコが、第一次予選中のある日、いつになく朝からソワソワニヤニヤして、かたわらの男性審査員たちとなにやら目配せしあい、隣のイタリア人審査員カポラーリに「今日だな、いよいよ」などと言っていたことがあった。

「なにが、今日?」と私が割り込むと、彼は思い入れたっぷりにウィンクをして声をひ

そめた。

「いやなに、つまり、今日『マドンナ』が弾くんだよ」

「『マドンナ』って?」

「ほら、このカタログの九六ページ、なんとも凄いアメリカ美人じゃないか」

そういわれてページを開いてみると、なるほどそこには、肩に波打つ豊かなブリュネット、その髪のまといつくなだらかな喉元、アーモンド型に大きく見開かれた瞳に長いまつ毛の影が重なって、まるでプリシラ・プレスリーを想わせるような、やや濃厚なグラマーの写真があった。イタリアのカポラーリ教授など、目を細めてうっとりとその写真に見入っている。

彼女の出番は朝の三人目となっていたが、今思えばその前に演奏する羽目となった二人の男性ぐらい、第一次予選全部を通して不運だったピアニストも、なかったに違いない。

そしてさて、いよいよお待ちかねのアメリカ美人の番がめぐってきた。カポラーリもヴラセンコも、謹厳なメルジャノフまでもが頰を輝かせ、身を乗り出してステージを見つめた……。

そして、その私たちの目の前に姿を現したのは、身の丈一五〇センチ余り、いかつい肩にごつい腰、うっとうしげな巻毛を獅子舞のようにふり乱した、えらの張った顔の、

要するにカタログの写真とは似ても似つかぬ女性だった。

喜劇役者のように濃く塗りたくった顔、そしてわっせわっせと出てきた筋肉モリモリの、短くたくましい足……。

「……」

一瞬、声にならぬ声のようなものが、コンセルヴァトーリ大ホールの前から五列目のそこかしこから立ち昇った。「マンマ・ミーオ」とカポラーリが両手で頭をかかえて、下を向く。

彼女は最初の曲、バッハのプレリュードとフーガをよたよたと弾き、ベートーヴェンの「熱情ソナタ」へと移ったところでつっかえて止まってしまった。そしてどうにかこうにかその第一楽章を弾き終えた頃には、我が男性審査員諸氏は、美人登場の夢を破られたことと、そのひどい演奏ぶりとで怒り心頭に発したらしく、いっせいにカバンをひっかき廻して中の整理を始めたり、手紙を書き始めたりした。語学の天才ヴラセンコは、私から借りた日本交通公社の海外旅行用ポケット会話帳で日本語の練習に没頭し、ドレンスキーは日本製のウォッチ・ゲームをポケットからとり出して、ゴルフゲームを始める。満員の客席もざわつき始め、彼女がリストの「ラ・カンパネラ」に無謀かつ虚しい挑戦を試み始めたときには、失笑の声さえ洩れるような有様となってしまった。

そんな中で、心なしか悠然と微笑さえ浮かべて、しかも誠実にこのアメリカ女性のひ

どい演奏に最後まで耳を傾けていたのは、ニコライエヴァ女史をはじめとする我ら四人の女性審査員たちだけだったのではあるまいか（第七回のときは、女性審査員は私を除いてみな六十歳をはるかに過ぎた威厳ある老婦人ばかりだった）。フランスのニコル・シュヴァイツァー女史が、にっこりとして私にささやいた。

「実物がプログラム以上に美人であったとしても、このピアノではちょっとパスは無理でしたね」

モスクワの聴衆のおそろしく冷ややかな拍手を背に、このアメリカ女性がようやく退場したとき、ヴラセンコはつくづくと私に言ったものだった。

「今回ほどアメリカの写真修整技術を見直したことはないよ。まさに世界一だね」

10　思いやり

通常、第一次予選では、バッハの平均律、古典的なソナタ形式の作品、ショパン、リスト、あるいはスクリャビン、ラフマニノフといったロマン派のエチュード、そしてチャイコフスキーの数少ないピアノ作品のうちから「四季」の中の小品を一曲、以上のものを聴く。簡単にいってバッハやモーツァルトあるいはベートーヴェンなどで、そのピ

アニストの古典における基礎的素養を判断し、ショパン、リストなどのエチュードで表現技術の高さをみるわけである。そしてチャイコフスキーの小品では、ロシア的な甘美で優しい感受性を確かめる。一人当り、だいたい四十分から五十分ぐらいかかる独奏プログラムである。

採点方法は、二十五点満点で五段階をめやすとしている。そして合格のボーダーラインは一応、十七から十八点あたりということにされている。

チャイコフスキー・コンクールでは、ある程度信頼のおける略歴さえあれば、来る者は拒まずすべて受け入れ、そして原則として第一次予選では審査員全員が一致して「もう沢山だ」とでも言わない限り、相当にひどい演奏でもプログラムは省略や中断なしに全部弾かせることになっている(他の国際コンクールでは、書類審査を厳密に行ってふるいにかけてから参加を許可する所もあるし、演奏があまりひどいと、審査委員長がチンとベルを鳴らして打ち切ってしまう場合もある)。

これは私の個人的見解であるだけではなく、ほとんどすべての審査員も同じ意見なのだが、実のところ演奏者のピアニストとしての能力、あるいは少なくとも第一次から第二次に進む資格があるかどうかを判断する程度のことは、ほとんどの場合、五分も聴けば分ることなのである。

しかし、その点においてこのコンクールはまことに思いやりに満ちていて、たとえ第

一曲目であがってひどい演奏になっても、途中で退場を求めることは先ずない。どれか得意な曲でもち直すかもしれないし、場慣れしていない若い人たちのために、今日の失敗を明日の成功につなげてやろうという、そうした配慮も含まれているときく。であるから、例えばモスクワに到着してからケガや病気になった者には、時間の許す限り演奏順をずらして、この四年に一度のチャンスを逃すことのないように、できるだけの処置がとられる。

今回はナイジェリアからの女性参加者で、なんと声楽部門とピアノ部門との両方を受けに来たが、予選の演奏時間が両部門共に同日に重なってしまったので、ピアノの方をあとにずらせては貰えないだろうか、という猛者（？）がいた。今世紀のはじめ、歌を唱わせればメトロポリタン・オペラハウスの主役を務めるほどの美声、ピアノを弾かせれば一夜でブラームスのピアノ協奏曲を二曲軽く弾きのけるほどの腕前をもち、かつ美人として誉れ高かったアルゼンチン生れのテレサ・カレーニョという猛烈な美女がいたが、今回私たちは「すわ、第二のカレーニョか」と一瞬胸をときめかせたものである。ところが、このナイジェリアの美女は、その後モスクワの街角ですべってころんで腕を痛めてしまい、声楽もピアノもどちらも断念する羽目となり、私たちを大いにがっかりさせた。

八二年のときには、コンクールが始まったとたんに父親を亡くしてしまったブルガリ

アの女性がいた。そこで審査委員会は、彼女を父親の葬儀に参列させるために彼女の順番を最終日の一番最後へと廻した。彼女は、モントリオール・コンクールの第一位受賞者で、或る種の激しいテンペラメントと集中力を備え、バッハやベートーヴェンなどの古典作品で優れた演奏を示した。そして父親を失った悲しみからか、黒い大きな瞳ばかりが目立つほどやつれてしまったけれど、みごとにそれを乗り越え第六位に入賞した。

11 ツーリスト

さてコンクールを受けに来る若者たちは、基本的にはまことに真摯な気持をもって演奏に臨む。チャイコフスキー・コンクールは現在世界で最も重要なコンクールのひとつであり、ここでの出来不出来は、場合によってはその人のピアニストとしての一生を左右することにもつながってしまう。したがって参加者たちの大部分は、相当決死の覚悟で自分のキャリアの未来を賭けるべくやってくるのだが、そこはそれ、さまざまな国から百名以上ものピアニストが集まれば、人間社会の常として天性の三枚目や粗忽者なども混ってしまい、中には想像を絶するようなキャラクターが想像を絶するような珍演奏をくり拡げることも、少なからず起り得るわけだ。

本人たちはそれなりに真剣に演奏しているわけだからまことに気の毒なのだが、ピアノ演奏というものが、ほんのちょっとした紙一重のところで抱腹絶倒の喜劇になり得る、ということを期せずして目の前で立証してしまうピアニストもいる。たとえば西ヨーロッパ某国出身の二十八歳になる男性であったが、彼はそもそもステージへの歩き方からして、すでに聴衆を笑いに誘う下地をもっていた。あたふたと出てきて、あたふたとバッハを弾き出すやいなや、そのちょっとしたフレージングや音の抜き方、力の入れ方といったすべてが、何故か見る者の笑いを誘ってしまう。それでいて、音楽性も技術も人一倍確かであったりして、そこのところがまたかえっておかしかったりという具合で、こうなるともう彼が真剣になればなるほどおかしく、満場の聴衆の笑いにつられて、ついには審査員席までが、一斉に笑いをこらえるあまりガタガタ揺れだしたりする情況が現出するに至る。こういう人は、ピアニストとしていったいどういう人生を送るのだろう。

他にもほとんど小走りといったかんじで飛び出して来て、ピアノの前に座るやいなや、つんのめらんばかりに同じ調子で弾き始める者、周期的に聴衆の方に顔を向け、ニーッと歯ぐきをむき出して笑って（いるかのように）みせる者、長髪で悠然と落ちつきはらった態度で出てきてしばし瞑想し、さて、どんなに哲学的な演奏を聴かせてくれるかと思いきや、これが「ネコフンジャッタ」に近い演奏で全員をガックリさせる者など、と

きには私のお隣の謹厳なメルジャノフ氏までが、眼から涙を流しククと笑いを噛み殺すのに苦労するような有様となる。

人間の価値をその身形や服装から軽々しく判断することは、いにしえからイケナイこととされてきたのは十分承知しているし、また私自身常日頃最も忌み嫌うところであるが、しかしコンクールの場において、クリーム色のシャツにショッキング・グリーン(なんて名前の色が実際にあるかどうかは知らないけれど)のネクタイ、あるいは女性ならば、いかにも自然食愛好家といった素足に革のサンダル、手を加えていないまっすぐ長い髪、インド麻のズンドードレス、あるいはいっそ正反対に、日本の女性コンテスタントなどによく見受けられるのだがピエール・カルダンの宇宙服のショーやカンサイ・ヤマモトのCMから脱け出てきたような、とでもいったいでたちの人々の演奏は、残念ながら往々にして、第一印象で受けた或る胸さわぎとでもいったような自分の予感が正しかったことを裏づけることになる。つまり、ダーク・スーツあるいはごく地味なワンピースに身を包んだピアニストが必ずしも常に良い演奏をするとは限らないにしろ、ヒッピースタイルや、超現代的ないでたちの人々が天下の名演を行うことは、まず百に一つもあり得ない。というわけで、文字通りコンセルヴァティヴなそしてとりわけ高齢な審査員たちは、服装を一瞥しただけで「そら、出てきた」とある種の覚悟を決める。

他の大多数のピアニストたちが緊張の余り青ざめてニコリともしないで登場するのに、

この「そら、出てきた」というタイプのピアニストが概して天真爛漫なのは何故だろう。まるで誕生日パーティでスピーチを頼まれたかのようなきさくな態度でステージに現れ、手をあげて「やあ」とまではやらないものの、ほとんどそれに近い感じをこめてニッコリと会釈を一つ。その態度には、「この会場でボクのこと嫌いな人なんて誰もいないでしょう?」とでもいった、ある絶対的な信頼感が溢れている。そして椅子の高さを調節しはじめたりするのだが、これがなぜか止まらない。首をすくめたり顔をしかめたりしながら椅子をいじり廻し、と突然「!」とひらめいた表情で、椅子の前後を置き変えてみる。もうこの辺りから聴衆はクスクス忍び笑いを始め(モスクワの聴衆はこうした場合も情容赦ないのだ)、審査員は「やれやれ」とため息をつき、私のお隣のメルジャノフ教授はカバンの中身の整理を始める。

椅子を調整するのにたっぷり五分はかけ、さてそれからようやくピアノの前に腰を下したかと思うと、これがどうなってしまったのか微動だにせず、いったい彼は何を考えているのだろうかとこちらの方がソワソワと落ちつかなくなってしまう頃、おもむろに一曲目のバッハを弾き始める。と、これがもう想像を絶するほどたどたどしい演奏で、もう聴衆はお互いに隣の人とひじで突っつき合ってニヤニヤし始める。やがて、なんとか途中でつっかえて止まってしまうことなく複雑な五声のフーガを弾き終えたときの、嬉しそうな表情。拍手もないのに立ち上って、やや恥じらいと得意さとの入り混った誇

らし気な顔でお辞儀をしたところで、満場はほとんど爆笑、拍手大喝采。すると、よせばいいのにもう一度立ち上って、「サンキュー、サンキュー」と首を振る……。

こうしたタイプのピアニストを、モスクワでは「ほら、また『ツーリスト』がやってきた」と呼ぶのである。

改めて申し上げるまでもなく、こうしたピアニストの多くはアメリカ人である。一九五八年、第一回で一躍有名になったヴァン・クライバーン以来、「チャイコフスキー・コンクール」という名称のもつ響きは、アメリカ人たちにとって特別なものとなってしまった。加えて現代でもモスクワは依然として、多くのアメリカ人にとっては行きたくても行けない「遠い国」である。そこに彼らは「パイオニア精神」と、無邪気な「チャレンジ精神」を刺激されてしまうのだろうか。

かくして、毎回おびただしい数のアメリカの若者が、チャイコフスキー・コンクールにやってくることになる。今回は二十三名が演奏したが、チェルノブイリ原発事故さえなければ、恐らくその数は三十名を超えていたかも知れない。ただ、昔と違うことは、そのなかに「第二のクライバーン」がいないだけのことである。

一九七〇年代から八〇年代にかけて、かつてアメリカにおける「コンセルヴァトワール精神」を支えていた人々、即ちその多くがユダヤ系の亡命ロシア人であったが、その

世代がいっせいに交替を始めた。そして、それと共にアメリカのピアノ界の低迷が始まったように思われる。率直にいうなら、クライバーン以後もジョン・ブラウニング（エリザベス第二位）、ジミー・レヴァイン（現メトロポリタン歌劇場音楽総監督）、ミッシャ・ディヒター（チャイコフスキー第二位）、ガーリック・オルソン（ショパン第一位）、その他数多くの優秀なピアニストたちを育ててきたロジーナ・レヴィン夫人の一九七六年の死によって、アメリカ人ピアニストの国際コンクールにおける栄光は、ほとんど過去のものとなってしまった。ジュリアード音楽院で、レヴィン女史の後継者と目されていたキエフ生れのサッシャ・ゴロニツキ教授は、この春に八十二歳で亡くなったが、この数年来病気がちで実際にはほとんど教えることはできなかった。

この世代の生存者で唯一の大物は、ドイツ系ピアニズムの権威でフィラデルフィア・カーティス音楽院のルドルフ・ゼルキンであるが、彼もまた老いた。現在、アメリカで先生としてその名をしばしば耳にするのは、レオン・フライシャーとルドルフ・フークシュニーの二人であるが、その弟子として世界的な名声を得た者は、まだ一人もいない。アメリカのピアノ界に関しては、これからどうこの「亡命世代以降」を乗り切っていくか、私には他人事ではなく気がかりである。

12　戦いは始まったばかり

今年の六月のモスクワは、予想をはるかに越えて、じりじりと焼けつくような暑さであった。コンクールの会場である音楽院の大ホールには冷房が入ってないため、大きく高い窓から射し込んでくる太陽の光と、満員の会場の熱気とで、四人目のピアニストを聴き終える頃には、何よりも飲物が必要となってくる。そこで正午頃に休憩が三十分とられる。私たちはホールの階上にある広やかな会議室に入って、インスタント・コーヒーやチャイ（紅茶）、それにハムかキャヴィアをのせた素朴なカナッペ二切れとケーキで一息つく。夜の審査が長くて睡眠時間が十分でないことと、ホテル・ロシアのレストランでの朝食があまり時間がかかるため、外国人審査員たちの多くは、朝食抜きでやってくる。だから、このコーヒーブレイクは、殊のほか待ち遠しく思われる。カナッペの上にのっているハムが、時には白身魚の燻製に変っていることもあるが、そんなときは休憩後の審査員席はひどく魚臭くなったりして、みな自分の指をかいで顔をしかめたりする。

「けしからんことです、実にけしからん」とブツブツいいながら、某教授が近寄ってく

る。

「あなた、昨日のブルガリア人を覚えていますか？」

「ああ、あのベートーヴェンの月光ソナタを、月が六つぐらいありそうに騒々しく弾いた子ですか？」

「そうです。あの、異様なほど激しく身体をゆらしながら、全身をよじってバッハを弾いた……」

「そして、あなたが、『クスリでもやっているのではないか』と途中で私におっしゃった……」

「そうです。あのひどいピアノに、なんと二十四点も入れたバカがいるのですよ、実にけしからん」

どの審査員が誰に何点を入れたか、どうやら分る人には分ってしまうらしい。その点、モスクワは西側のコンクールよりあけっぴろげであり、大っぴらでもある。

「それにしても、なぜ、今朝のアメリカ人を途中で止めさせなかったのか」と、隣のテーブルでは、マリーニンが口をとがらせている。

「あのように程度の低い演奏は、聴く意味を成さないではないか」

「いや、あの調子でベートーヴェンの作品一一〇のソナタが三楽章に突入していたら、私は立ち上って一言いうところだった。しかし幸いにも、彼はそこで止まってくれたか

らね。それにしても」と、ラテン系の審査員が目を細める。「アメリカ人の次に現れた女の子ね、あのアラブ系の。あれは凄い美人だったなあ。しかし、まあ、モスクワ音楽院で勉強したそうだけれど、スクリャビンではあんなに腰を振れなんて、誰が教えたのかね」

そこにニコライエヴァ女史が、すっかり満足気な表情で上ってくる。彼女の弟子バタゴフが、なかなか良い演奏をしたのだ。

「おめでとう、あなたの生徒さんは素晴しい才能の持ち主ですね。バッハ、スクリャビン、ショパンにベートーヴェンと、それぞれの音色と構成を明確に弾き分けることができたのは、今のところ彼だけですよ」と、誰かが近寄る。

「しかし、バタゴフのベートーヴェンの作品一〇九は、通常の倍ぐらい時間がかかったよ」と誰かが、小さな声でぼやく。

教授たちは各々自分の生徒が出場するので、つい他が気になってしまうらしい。それに、今朝は休憩後に、ヴォシュクレセンスキー教授の生徒が二人演奏することになっており、そのうちの一人ナタリア・トルルにはモスクワの聴衆からかなりな期待が寄せられているので、ロシア人の教授たちはどことなくピリピリしている。あの、のんびりとした風のドレンスキーまでが自分の生徒を四人も出場させているためか、どことなくピンと耳を立てて審査員たちのおしゃべりをうかがっている感じである。

「さあさあ、皆さん」と、そこに再び文化省役人氏が、割り込んでくる。

「休憩は終りです。本日の午前の審査終了予定は二時四十五分。夜は六時からですから、お忘れなく。では、さあ、階下に行きましょう」

暑く長い午後が、これから始まろうとしている。コンクールは、まだ始まったばかりなのだ。

Ⅳ 採点メモから

13　聴かせていただきましょう

第一次予選四日目、夜の部六時開始。

No.48、ピエール＝アラン・ヴォロンダ、フランス。略歴＝一九六二年ブゾン生れ。オルレアンとパリの音楽院で勉強。一九八三年度クイーン・エリザベス・コンクールで第一位受賞。

今夜の一人目に、前回のエリザベス・コンクール優勝者が出場するというので、ただでさえも冷房のないむし暑い会場が、ことさら熱気でむせ返るようである。それにしても、エリザベス・コンクールの一位ならば、なにもいまさら改めてモスクワに来ることもないと思われるのだが。

というのも世界にピアニスト多しといえども、これまでにエリザベスとチャイコフスキーの両方のビッグ・タイトルを獲得したピアニストはただ一人、ウラディミール・アシュケナージしかいない。それも、彼自身の説明によれば、自分の望みで二つを受けたわけではなかったようである。

アシュケナージは十代でショパン・コンクール第二位、ついでエリザベス・コンクールで一位を得、一九六二年の第二回チャイコフスキー・コンクールの開催される頃には、すでに海外でも大変な人気の若手ピアニストとしての地位を確立していた。その彼のキャリアにとって、いまさらもう一つのビッグ・タイトルなど全く必要なかったのである。

この点については、ジャスパー・パロットの『アシュケナージ——自由への旅——』によれば概ね次のような事情があったらしい。即ちソ連が国威をかけて開催した第一回目を、無名の一アメリカ青年クライバーンがものの見事にかっさらってしまったので、第二回目は何が何でもソ連を第一位にすべく、とにかく確実に一位が獲れるピアニストを、ということでアシュケナージは強力に参加を要請された。ちょうどその頃彼は、アイスランド人の、つまり西側の少女と恋愛問題で悩んでいたうえ、ユダヤ人問題も抱えていたので、KGBにつきまとわれたりしたこともあって不本意ながら受けることに同意した。ところがいざコンクールが終ってみると、結局第一位を英国のジョン・オグドンと引き分けるという、アシュケナージにとっては屈辱的な結果となってしまった。もっともアシュケナージにいわせれば、彼にとってチャイコフスキーのピアノ協奏曲というのはもともと苦手な曲の一つであったし、いっぽうオグドンのチャイコフスキーは彼自身よりはるかにすばらしかったそうであるから、調子も悪かったのだろう。

いずれにしても、このときのゴタゴタは今日に至るまで尾を引いているらしく、その

後、例のアイスランドの少女と結婚して西側に亡命してしまったアシュケナージの名前はモスクワでは受賞者のリストからはずされ、ジョン・オグドンの名前のみが残されている。ウラディミール・アシュケナージという名前はソ連の審査員との会話のなかでは禁句である。

というような経緯もあって、とにかくこの二十四歳のエリザベス・コンクール優勝者が、どういう意図でチャイコフスキー・コンクールのタイトルをあえて狙いに来たのか、私たちのただならぬ関心を集めたのも当然のことだった。こんなときは、審査員も背筋をしゃんとのばして「さあ、聴かせていただきましょう」といった感じで、やや神経を立てて待ち受ける。

さて、そこに登場したのは、童顔にあごひげの、眼鏡をかけた気まじめなノン・キャリアの田舎の銀行員、とでもいった風貌の青年であった。ただ顔色が異様なほどまっ青で、脂汗が浮いている。以下は、その時の私の採点メモ風描写である。

・ショパン・練習曲 op.10―5

通常はみな、古典作品、即ちこの場合はバッハの平均律から始めるのに、ヴォロンダはいきなりショパンを弾き始めた。こういう「思い切ったこと」をするピアニストは、

客観的に実力があるかないかはべつとして、大抵は「やまっ気」たっぷりのドンキホーテが多い。このコンクールでいえば、アメリカからの「ツーリスト」にそういう傾向が見出される。そしてそれで成功するのは、百人中ほんの一人か二人のことである。なんの艶もない、パサパサの音。加えて信じ難いことには指がもつれ、ぐしゃぐしゃである。ヴォロンダの経歴からおして私は大きな期待をこの「思い切ったこと」にかけたのだが、結果はまことに残念だった。

・スクリャビン・練習曲op.42—5

ショパンのエチュードのときは、まだ我と我が耳を疑って、目をこすって見開いているあいだに終ってしまった。まさか、いくらなんでも、「エリザベス」の一位が、と、聴こえてくる演奏を半信半疑で受けていた人たちも、スクリャビンではとうとうざわつき始めた。ヴォロンダの関心はまるでフォルティシモ（最強音）にしかないようであった。スクリャビンのこまやかな内声部の変化はすべて暴力的に無視され、あの暗い甘美さ、重くたちこめるような神秘なハーモニーは、ただひたすら異常なエネルギーのみによって破壊しつくされようとしている。狂気ともいえるような異様なフォルティシモの連続に、みなシーンと妙に静まりかえってしまって、拍手もなし。審査員席も呆然としている。

・バッハ・平均律第二巻より嬰ハ短調

プレリュードでは、まるで夢遊病患者のようにふらふらとして、両手が合わなくなる。ひたすら、キイに手を叩きつけぶつける。これは、ただごとではない。彼がふざけているのではないとしたら、病気なのに違いない。

・チャイコフスキー・「四季」より『十月』

極端にメロディを強調して浮き立たせ、そのあと突然音を沈めてしまったり、なだらかなフレーズを、ぼつぼつと切ってしまったり。しかし、前二曲よりはまし。

・ベートーヴェン・ソナタ op.101

異様なほど低い椅子である。その結果として当然のことながら、ひじが下り手首が高く上る。身体はピアノよりやや離れ、打鍵は手の平で叩きつける恰好となる。そのため、ゆっくりした弱音はなんとか弾けても、音量が大きくなるに従って、指先の自由が効かなくなり、一つ一つの音がぴしっとはまらず、まるで重心を失った振子のように揺れてしまう。

全体として、なんだか手探りで忘れかけた記憶をたどりつつ弾いているようなところ

があって、音楽の流れが凹凸ミラーに映し出されたように伸縮し、ときには止まってしまったかと思わせられるような一瞬が現れて、ハッとする。

永遠に続くかと思われるような一楽章のあと、恐らくは、もう十分だ、というような意味であろう、モスクワの聴衆の間から拍手が起った。すると、彼はふっと立ち上って拍手に対して会釈をした。それでステージを去るのかと思ったら、なんと座り直して第二楽章に入っていったので、周囲がざわついた。その表情は、一種の放心状態とでもいったものだろうか。視線は朦朧と宙をさまよっていて、ピアノを弾いているということさえも意識にないようである。

審査員席のあちこちで審査員同士が顔を寄せ合い、ひそひそし始め、中にはマリーニンのように立ち上って審査委員長のところまで行って明確に態度で「もうやめさせろ」と要求する者も出てくる（こういうことをまっ先に言い出すのは、大抵マリーニンである）。しかし、エシュパイ委員長が演奏を続行させたので、とうとうヴォロンダの演奏は五十分を上廻ることとなってしまった。エリザベス・コンクールで彼が優勝したときの審査員であったメルジャノフが、「何ということだ」というように頭を振りつつ両手で顔を覆う。これほどアブノーマルなピアニストは、今回は初めてである。

コーヒーブレイクになって、私はヴォロンダに関する興味深い話をマリーニンから聞

いた。彼は生れたときから十二歳まで、全く言葉を話すことができなかった。ところが、十二歳のときに試みにピアノを与えたところ、突如として話をすることができるようになったのだという。そして以来、彼はピアノにおいてわずかな間にめざましい進歩を示すようになり、パリのコンセルヴァトワールを極めて優秀な成績で卒業した。

彼が二十歳のころ指導したこともあるマリーニンの記憶によると、その頃のヴォロンダはまるでリヒテルを彷彿とさせるような桁はずれの大器然とした演奏ぶりを示したという。しかし、エリザベス・コンクールで優勝した頃から、再び彼の精神は異常を示し始めた。一位獲得後のインタビューでも彼は、「自分が演奏したのではない。作曲家が客席にいて、その指図どおり弾いたらこういう結果になったのだ」とまじめな表情で語り、彼を知る人々の心を不安に陥れた。

演奏前に彼に会ったマリーニンによれば、今夜のあの朦朧とした表情は、なにか薬品による影響を受けている訳でも何でもなく、話をすれば一応正常に受け答えをしたという。かつてヴォロンダを教えたこともあるマリーニンとしては、審査員席であのような演奏を見聴きすることは到底耐え難いことであったに違いない。

その夜遅く、採点の集計が出た。ヴォロンダは一二・六〇であった（私の採点では十四点である）。これは、他者との比較からして、想像以上に手厳しい結果である。

14　日本人たち

No.67、タロー・A、日本。略歴＝一九五六年生れ。東京芸大卒。ジュネーヴ、ヴィオッティ各コンクール入選。

ヴォロンダの話で思い出したが、四年前の八二年のときは、ヨーロッパのコンクールのそこかしこで言われるいわゆる「個性のない日本人」という定評を打ち破るような、まことにたとえようもないほど強烈な印象を残した日本人青年がいた。中村摂氏である。

彼は、まず胸に、恐らくはお守りか数珠の類いかと思われる大きな紫色の房のついた首飾り(?)をのぞかせて登場し、満場の好奇心を集めた（のちに聞いたところによると、その前年中村氏はボルザーノのコンクールにヒッピースタイルで登場し、演奏の前になにやらとり出して一つ一つピアノの上に置き、お祈りとも見える仕草をしてから演奏にとりかかり、人々に忘れ難い印象を与えたという）。

さて、その演奏ぶりは、いわゆるオーソドックスなピアノ奏法の観点からみれば、惜しいことには、その基礎的訓練というものをかつてほとんど受けたことがないように思

われるものだった。即ち「正統なピアノ奏法技術」としてはバッハもショパンもベートーヴェンも「弾けている」とは認め難い情況であった。通常こうした演奏のことは「でたらめ」という。強いてたとえるなら、素人が好き勝手にピアノと遊んでいるような演奏とでもいうようなものだろうか。ところが、まだ不完全ながらも「でたらめ」と切り捨てるには惜しいなにか不思議な語法を備えていて、控え目かつ弱々し気とはいえ、或る確固とした「自分の弾きたい方法」とでもいったもので、プログラムのすべてを押し通した。これが基本的なピアノ奏法技術熟達の上に行われたことであったなら、さぞ大きな説得力をもって聴き手に迫ったことであろう。

それにしても、バッハのあとの、ピアノにひじをついての異様な沈思黙考ぶり、演奏に熱しての背広の腕まくりなどといったことは、コンクールというあくまでコンセルヴァティヴなマナーの尊ばれる、そして何よりも「正常なる優秀性」が要求される場においては、あまりにも自由奔放、いわば反社会的とさえいえるほどのこととして人々の目には映ったに違いない。したがって、こうした態度を容易には受けつけない大衆が、彼をほとんど常軌を逸脱したアブノーマルな人間として冷笑で迎えたとしても、いたし方のないことであった。

しかし、その彼が彼自身の語法で語りかけてくる音楽の中には、或るナイーヴで深く閉ざされた美しい世界があって、殊にスクリャビンは、その彼の語法と音楽とがもっと

も自然に同化し合った、まことに不思議な出来映えとなった。そのエキセントリックな美しさは、彼をアメリカの「ツーリスト」や「ヒッピー」たちとは一味違ったものとしての認識を私たちに与えた。モスクワ音楽院のヴラセンコ教授など、次のピアニストが演奏し始めてからも、「あの不思議なスクリャビンが耳について離れない」と、私に感嘆をこめたメッセージを廻してきたほどである。

惜しむらくは、その美がコンクールというものの世界と全く関わりあいのないところで存在していた、とでもいおうか。それは、中村氏の稀有な才能にとっても、そしてコンクールにとっても、まことに残念なことであったと思われる。

さて、今年度の日本人のなかには、この中村氏のような強烈な個性の持ち主は見当らず、それどころかむしろ、従来通りの「定評」である「個性のない日本人」を裏づけるタイプのピアニストが多かったことは、喜ぶべきことかむしろ悲しむべきことか。その典型的例として、タロー・Aについての私のメモを見よう(タロー・Aとは仮名で実は他の二、三の日本人コンテスタントたちを加味した人物であることをお断りしておく)。

・バッハ・平均律第二巻より嬰ハ短調

日本においては、バッハの音楽をピアノで演奏すると、とかく機械的に乾いた音で平板に弾いてしまう傾向があった。これは、当時のクラヴィコードやハープシコードといった鍵盤楽器の特質を、いうなれば観念的に意識しすぎて硬直化してしまった日本ピアノ界の先駆者たちが遺した影響なのであるが、こういった解釈は、今日に至るまで依然として多くのアカデミックな場で主流として守られ受け継がれている。

そこにはもちろん、楽譜に書かれてあることを「きちんと」弾く、という、ごく当り前にして実は大変に困難なことに対する、ごく低次元の基本的誤解も含まれていて、具体的には教師側のピアニストとしての資質にかかわりあうことになる。

いずれにせよ、このハープシコードなどの金属的で鋭くかつピアノと比較して柔軟性に欠けた表現力のイメージと、日本人の精神構造の中に潜在する或る奇妙なまでの生真面目さ、精神修養第一主義、禁欲的な「学習」精神、といったものとが、なんとも不思議な具合にミックスされて、独特、というのは賞めすぎにしても、ある確固としたバッハのイメージが居すわってしまったのである（実をいうと、バッハの音楽をピアノで演奏することぐらいさまざまな論議を呼んでいることは他に類例がないほどで、百人のバッハ研究者がいれば百通りの解釈が成り立ち、しかもその各々が説得力をもつということが有り得るといわれるほどである。しかし、ここで私が触れていることは、残念ながらもちろんそういった、いわば高い次元の問題のことではない）。

そして、それは今日でも依然として、例えば学生コンクールなど子供の演奏の場での価値基準となっていて、「小学生コンクールで優勝するコツは、エチュードやバッハでペダルを使用しないこと」などといったいましめがまことしやかに流布されたりする。そこには、もちろんピアノのペダルというものを「音色を作るためのもの」としてでなく「音を長く引っぱるもの」としてとらえている教師側の未熟さもあるが、と同時に、基本的には先に述べた日本人の精神構造即ち、生真面目さ―西欧崇拝主義―その西欧文化を司るキリスト教文明―教会音楽の父バッハ―宗教的―禁欲的、といった図式がひそんでいるのである。まるで、柔らかでふくよかな音の響きは、バッハの「神聖さ」を肉感的に犯す、とでも思い込んでいるかのように。

このタローＡが、まずバッハのプレリュードをぽつぽつとドライなノン・レガートで弾き始めたとき、私はふとこのことを想い出した。ひどく響きの少ない平板なバッハであるが、それなりに弾き込まれてあり、ごく好意的かつ楽天的にいうならば、これで次のベートーヴェンやロマンティックな作品でがらりと変った表情を見せてくれるなら、これも一つの解釈、と説得力をもつ可能性もないではない……。

・ベートーヴェン・ソナタ第三番

このピアニストは、なかなか骨太で明るく響く音をもっている。ところが惜しいこと

に大雑把で、陰影がない。また、音楽を自分の内面的要求からというよりもむしろ、形式からつかんでいるようなところがあって、いうなれば音楽の輪郭を表面からなぞっているような観がある。もちろん表面上は音譜をきちんと弾いてはいるのだが、その音楽と演奏者との間になんの関わりあいも見出されないのである。

これはもちろん、本人自身の感受性の問題に過ぎないと一蹴すべきことかも知れないが、親身になって考えてみれば、感受性以前の基本的奏法に相当問題があると思われる。というよりも、聴いているうちに私には、むしろ、かつての私自身の体験が想い出されてきて、実は身につまされる心地にさせられたのだ。

かつて私が十八歳でニューヨークのジュリアード音楽院に留学したとき、ロジーナ・レヴィン女史の最初のレッスンで命じられたことは、基本の一からのやり直しであった。言い替えると、当時、日本のピアノ教育界に文字通り王者として君臨していた井口基成・愛子兄妹のメソッドは本質的にノン・レガートの奏法であり、愛子先生のもとで三歳から手ほどきを受けた私は当然その影響を最も強く身につけた弟子の一人であった。ところが、レヴィン女史の奏法の本質はレガートであったのである。そして改めていうまでもなく、レヴィン女史以外のどのピアニストたちにとってみても、ピアノ演奏法の本質は何よりも「なめらかな美しいヴェルヴェットのようなレガートのタッチ」にあった。そしてレガート奏法とは、文字通り指先をキイから絶対に離してはならない、というところから始まる。まるでタコの吸盤のように。

当時ジュリアード音楽院には、私の桐朋学園時代の仲間たちが相当数留学していたが、校内ではそういった私たち日本人のピアノを評して「タイプライターを叩くように、カタカタとハイ・フィンガーで弾く」という形容が、ほとんど定着していた。また、「日本人は、何の感情もこめないで難曲にいどみ、一つのミスも犯さず弾きのける」まるで機械のような人間、とも評されていた。そういったことも、もとはといえば、個人的な感受性の問題以前の、極めて基本的な技術上の相違から発生していたことなのである。

何故、日本では「ノン・レガート」奏法が行われていたのか。これは、兄の基成氏に先立たれた晩年の井口愛子先生自身の述懐として、私には胸迫る思いの言葉でもあるが、要するに「不運」の成せるわざ、としか私には言えない。昭和のはじめに多感な青春時代を送る運命となった先輩たちの不運、なまの良い音楽に出会う機会も少なかった時代の不運、良い師や多くの刺激にめぐり逢えなかった時代の不運、そして、なんといっても戦争というもので修業を十分に達成できなかったあの時代のすべての人々の不運……。

タロー・Aの奏法は、私に自分の子供時代を一瞬思い出させた。指先を丸く曲げて、爪先を鍵盤にほとんど直角といってよいほどの角度で当てる、あの弾きかた。この方法で演奏すると、必然的に指先をカギのように曲げたまま、鍵盤上から数センチ上のところから指先を打ちおろすかたちとなる。音というのは、キイから打鍵先が遠ざかれば遠ざかるほど雑になり濁りやすくなってくる。そして、音のひとつひとつが柔軟性に欠け硬質となり、デリケートなニュアンスを作りにくくなる。そのため、音はポッポッと縦の動きになって横に流れず、どの曲を弾いても全体に単色平板となり、変化はただ強弱ばかりで作る、というかたちになる。こうした奏法では、いくら心をこめて演奏しても、例えばあのロシア人たちのピアニズムの魅力の一つである「ピアノ奏法におけるベル・カント」——歌うようになめらかな演奏——を表現することはできないのである。

・ショパン・練習曲
・リスト・練習曲

ロマン派の作品を「ハイ・フィンガー」で演奏すると、詩情や情感の全く乏しいショパンやリストになってしまう。しかし、彼はどちらのエチュードも、とにかく音は一つもミスすることなく極めて正確に、パラパラと弾く。

こうした演奏には、モスクワの審査員も聴衆も、まことに厳しすぎると思われるほど冷淡である。反面、彼らは多少ミスが目立って荒っぽくても、なにか人間的な魅力の伝わる演奏、積極的に語りかけてくる演奏には、想像以上に温かい、というよりも甘い、といえるほど好意的な反応をみせる。

こうして、何人かの日本人ピアニストの演奏を聴いていて、ひとつ興味深いことを発見した。いかにも「徹底的に訓練して参りました」とでもいうように響くこの「ハイ・フィンガー」奏法は、なぜか女性よりも男性の方により多くより原型のまま、徹底して忠実に受け継がれているように思われるのである。これは単なる偶然なのかもしれない。しかし、表現手段の技術という点では、女性たちの方がはるかに多彩である。これは、単に個人的な感受性の問題なのであろうか。それとも、ピアノに関する限り、日本人男性は日本人女性よりも生真面目かつコンセルヴァティヴなところがあって、つい純粋培養のような具合になりがちなのであろうか。

深夜になって、本日の採点の集計が出た。タローー・Aの集計が出る。一七・〇五(私の採点はやや甘い十八点だった。同国人としての身びいきがつい出てしまうのは、私も他の審査員たちも同様である)。

15　アントン・バタゴフ

第一次予選三日目、朝十時開始、三人目。

No.36、アントン・バタゴフ、ソ連。略歴＝一九六五年モスクワ生れ。一九八五年全ソ・コンクール第一位。プラハの春・音楽祭コンクール第一位。

この日はまことに充実した日であった。ソ連からの出場者はこのバタゴフの他に、ナタリア・トルルとイリーナ・ポストニコワ、ジュネーヴの優勝者であるエフゲニー・クルチェフスキー、その他に日本の岡田博美氏やアメリカ、チェコ、東独、イラク、台湾など、まことに多彩な顔ぶれが出揃った。

・バッハ・平均律第一巻よりロ短調

素晴しいバッハである。実にしっとりとした深い知性に溢れていて、しかも非常にしんとした集中力を備えている。彼のピアニシモにおける表現力の幅は実に多様で、殊にこの四声のフーガにおける複雑に重なりあう音の層を、あれほどの清澄さと構成感をもって弾き分けたコンテスタントは、他にいない。このフーガは、日本における「伝統的な」バッハ奏法とは対照的に、深いレガートに包み込まれた大曲なのだが、こうした地味で大きな展望を必要とする作品で、これだけ聴く者を惹き込むとは、なかなかの力量である。

・スクリャビン・練習曲op.65―1

・ショパン・練習曲op.10―8

バッハから一転して、次のスクリャビンでは華やいだ色合いに変り、さらにそこからほとんど切れ目なくショパンへと移ったのだが、それがあまりにも美しく魅力的な効果を奏したので、並みいる審査員たちが思わず「ほう」と嘆声をあげ、座がどよめいたほどであった。こうなると、もうこれはコンクールなどといったものではなく、かなり質の高いリサイタルを聴きに来たようなものである。

この人は、いわゆるロシアのピアニストたちに多く見受けられるような、力で押しまくるタイプではなく、どこか非常に内的で一人だけ隔絶されたような世界をもっている。

・ベートーヴェン・op.109

二楽章から入っていったが、音質が明確にベートーヴェンらしく変る。こうした違いをしっかりと自覚して演奏するピアニストはきわめて少ない。決して豪快で華やかなタイプではないが、それこそヴェルヴェットのような光沢の音色をもっていて、じっくりと聴かせる大変な精神力を秘めている。

あとになって私は、彼がモスクワ音楽院に入学してタチアナ・ニコライエヴァ女史に師事するようになるまでは、あの天才少年エフゲニー・キーシンを育てたカントール女

史のもとで薫陶を受けていたということを知り、まことに興味深く思った。

夜の集計でバタゴフの得た平均点は二一・七三（私は二十四点を入れた）。これは、第二次審査が終ってから公表されて分ったことであるが、第一次予選ではバタゴフは百十一人のなかの最高点をマークしたことになる。

16　第一次予選の結果

朝十時開始、四人目。

No.85、バリー・ダグラス、英国。略歴＝一九六〇年アイルランドのベルファースト生れ。ルービンシュタイン・コンクール第五位（八三年）、ヴァン・クライバーン・コンクール第三位（八五年）、パロマ・オシア・コンクール第二位。その他。

今朝は前半に、インドネシアの男性、ソ連男性、それにユーゴスラヴィアの女性が演奏した。そのうちのソ連男性は、私のお隣に坐っているメルジャノフ氏の生徒で、イタリアのヴィオッティ・コンクールの優勝者だったが、こぢんまりとしたスケールのピア

ニストで、およそチャイコフスキー・コンクール向きではないように思えた。コーヒーブレイクのあと最初に弾いたピアニストは、クラシックのピアニストというよりも、むしろウェスタン映画の二枚目のような、やや不敵なつら構えをしたイギリスの男性である。

・バッハ・平均律第一巻より変ホ短調

このところ、スケールは大きくてもまだ学生っぽさの抜けきらない肌理の荒い演奏や、あるいは男性なのになよなよと女性的な演奏、といったところが続いていたので、やや欲求不満に陥っていた。このダグラスで、久々にしたたかな演奏を耳にした気分である。

音の質は全体にくぐもっていて、決して美しくはないのだが、鍛え上げられた表現技法を身につけており、ロシアの「ヴェルヴェット」のピアニズムとはまた違った筋肉質の立体感をもっている。バッハの平均律曲集のなかでも名作中の名作とされるこの曲を、確かな構成力と安定感をもって最後まで引っ張っていった。

・ベートーヴェン・op.101

二楽章から始める。テンポもリズムも極めて正統的かつ安定していて、しかも相当に弾き込んである隙のなさが感じられる。

プロの演奏家と学生の演奏との相違はなにか。それは、他者の耳と心に曝された体験の多さと深さで決まる。他者の耳と心に曝されることによって、プロはしたたかにたくましく、より複雑に成長をとげていく。このバリー・ダグラスは、恐らくすでにプロの演奏家として、相当の体験を積んでいるであろうことがこの演奏ぶりからはっきりとうかがい知れる。ひとつ気になることは、例えばこのソナタの最終楽章のアレグロなどでダイナミークがフォルテないしはフォルティシモに向うと途端に音に破綻が生じることである。が、これは、コンクールという通常の演奏会とは全く違った情況——つまり他者との比較によって成立する世界——に置かれた者が、当然のこととして受ける大きな心理的重圧からくるものかもしれない。コンクールであがらない者はいないのだから、気負いもあるのだろう。

・ショパン・練習曲op.25—10

彼の資質がショパン向きではないことは確かであるが、そうした彼には適した選曲といえよう。際立って音楽的、という人ではないが、このコンクールのなかでは大型コンサート・ピアニストに必要な条件をいくつか備えているという点で、今までの男性ピアニストたちより勝っている。

・チャイコフスキー・「四季」より『十月』

技術的には子供だましのようにやさしいこの曲の途中で、聴いているこちらの方が心臓が止まりそうなほど大きなミスを犯してしまった。しかし、全体にはいかにもチャイコフスキーのロマンティシズムを心得ていて、ツボをつかんだ演奏であった。ただ、やや気になることは、そういった彼のロマン派音楽における表現が、ともするとやや作為的、つまりアーティフィシャルに感じられることである。こうして一応は型通り甘く弾いてはみせるものの、実は彼の本心はそこにはない。ではクールなタイプかといえば、そう格別に冷徹なタイプでもない。全体にいかにも野望に満ちた若い男性らしい、アグレッシヴな迫力が漲っていて、そこが良くも悪くも彼の魅力なのであろう。もっとも、若い男性で才能と実力と実績があって、大コンクールにやってくる者で、闘志に満ちていない者なんているだろうか。その武者震いが、アグレッシヴな印象となってこちらに伝わってくるのだろう。

採点結果、ダグラスは二〇・二二点。これは第一次予選参加者中第四位の成績である(私は二十点を入れた)。

第一次予選は、最終的には百十一人のピアニストが参加して、六月十九日の午後二時、

八日間にわたる熱戦の幕を閉じた。そして、そのなかから、三十九名のピアニストが選ばれて第二次予選に進むことになった。

日本は十二名中三名が、ソ連は十一名全員が、そしてアメリカからは二十二名中四名が合格した。私の個人的好みからいえば、西独のベルン・グレムザー、ベルギーのシュミット、ソ連のバタゴフ、そして中国のコン・シャントンといったところが新鮮に印象に残った。しかしコンクールというのは何が起るか分らない。

前回一九八二年のとき一位なしの二位をソ連と分ち合ったイギリスのドナホーのように、第一次、第二次では全く評判にもならず、それどころか第二次ではじめ補欠でボーダーラインに辛うじてぶら下っていたような人が優勝するということもあり得るのである。コンクールでは独奏曲で良かった者が協奏曲で目も当てられない演奏をしたり、あるいはその逆となったりといったことが起る。誰が優勝するかは実際のところ、本選まで聴いてみなければ分らない。

第二次予選は二十一日から始まる。明日は久々の休日である。

V

長期戦における兵站の話

17　貝割れ大根

モスクワに着いてすぐ蒔いた水栽培の貝割れ大根に、可愛らしい双葉がつき始めた。

今回は出発前にチェルノブイリ原発事故騒ぎがあったので、私のモスクワ行をめぐっての友人知人たちのかまびすしさといったらなかった。事故直後、放射能洗浄剤としてヨーロッパ各地で品切れとなったとされた例のヨード剤についても、「効果あり」という友人の医者がいるかと思うと、「気やすめですよ」と否定する友人の医者もいる。

そんな折、ちょうど五月の終り頃になって、安倍外相のモスクワ訪問の予定が、同じ理由で行くか行かぬか取り沙汰された。大臣には申し訳ないけれど、そのニュースを見て私は、彼をサイコロ代りにすることにした。「大臣が行くのなら、たぶん大丈夫なのだろう」というわけである。そして安倍外相は、実際にはその後行われた総選挙などとの関わりもあったことと思うが、結局訪ソした。私は心を決めた。

でも私は念のため、カップラーメン、農協パックライスにレトルト食品のカレー、おでん、そして新鮮なビタミン補給用として貝割れ大根からアルファルファの種子に至るまでの各種食料を、目方にして三十キロ余り持ち込むことにした。いまこうして考えて

みると滑稽にさえ思われるが、でかける前は大真面目に、いざとなったらこれで四週間をなんとか切り抜けよう、などと考えていたのである。

問題は飲料水の確保であったが、それは外務省の知人を通じて現地の大使館員の方から、エビアンなり何なりのミネラル・ウォーターをゆずって貰う手筈となっていた。ところが、その現地の館員氏は、会うなり開口一番こう宣言した。

「このエビアンのビンに入っている水は、モスクワの水の沸かしざましです」

「え」

「だって、日本大使館の者が、実は密かに西側製のビン詰飲料水を中村さんに差し入れしていた、などということが伝わったら、モスクワの日本人社会はパニックになりますからね。ほら、大使館は公式には安全だなんて言いふらしているけど、本当のところはやっぱり危険なのに違いない、と。実は、大使館では、モスクワは安全であると在留邦人を説得して廻る役目を、他ならぬこの私が担当しておりまして」

「はあ」

「この沸かしざましは、うちの子供たちも飲んでいます。絶対に大丈夫です」

放射能というものが、沸騰させれば消滅してしまう類いのものであるかどうかは相当に疑わしいけれど、こうなったら観念する他はない。それに、伝染病ならともかく、相手が放射能となると、飲水にばかり注意を払っていても無駄であろう。厳密にいえば、

顔を洗うのも風呂に入るのも、危いのかも知れないのだから。

というわけで、私はモスクワ到着一日目にして早くも自給自足生活を断念し、水も食物もなりゆきまかせ、と覚悟を決めた。そして、貝割れ大根の栽培も、私の身体に新鮮かつ貴重なビタミンを補給するという当初の重大任務から、いわばカップラーメンの彩り、ホテル・ロシアの窓辺で私をなぐさめる単なる「趣味の園芸」へと格下げになってしまったのである。

しかし、こうして窓辺でちらちらと風にそよぐ貝割れ大根などに見とれていると、ふと、かつてショパン・コンクールを受けるためにワルシャワのジェヴィエツキ先生のもとで勉強していたときのことなどを思い出す。あのときは今回と反対に、放射能の心配こそなかったけれど、新鮮なビタミンが明らかに不足していた。この貝割れ大根でもあったらさぞよかったろうに、と懐かしく思われたのである。

さて国際コンクールというのは、一ヵ月に及ぶ文字通りの長期戦であるから、そこで好成績をあげるためには、長期戦における兵站《へいたん》とでもいったもの、即ちピアノの実力以外にもいくつかの条件が重要となってくる。

まず、環境の問題があるだろう。演奏家というのは、練習さえしていれば気が鎮まるというタイプが多いので、とにかく納得のゆくまで使用できる練習用ピアノの確保とい

うのが、環境づくりの第一条件であることは言うまでもない。そして、食、住、と続く。

ブリュッセルのエリザベス・コンクールやフォートワースのクライバーン・コンクールその他、欧米各地の国際コンクールでは、地元の裕福な音楽愛好家で自宅にピアノを備えている人々が、ヴォランティアとしてコンクールの期間中、参加者たちの里親を引き受け、練習から三度の食事から息抜き気晴し観光に至るまでの一切合財を面倒みるケースが少なくない。

参加者とヴォランティア家族（というよりも、時にはほとんどパトロンと呼ぶ方がふさわしい場合もある）の組合せが成功し、そのうえ参加者がコンクールで上位入賞でも果したとなると、この組合せはもう一生のおつき合いといった感じになる。

例えば私のジュリアード音楽院のレヴィン女史のクラスの先輩でヴァン・クライバーンの同期に、ジョン・ブラウニングというピアニストがいる。彼は今から三十年も前のエリザベス・コンクールで第二位に入賞したのだが、今でもブリュッセルの彼の「里親」一族は、彼の往くところ地の果てまで応援にやってくるという。

もちろんその正反対のケースもあるわけで、テキサス・フォートワースのコンクールを受けに行った私の友人は、石油会社の会長でコンクールの大スポンサーでもある一家に世話になることが決り、「うちにはピアノが五台もあるから、どれでも使ってくれ」と得意顔で連れて行かれたところ、行ってみたら五台のピアノは全部ブギウギのピアノ

ロール紙がはまった竪型ピアノで使いものにならず、第一次予選を二日後に控えて途方に暮れた、という嘘みたいな話もある。

モスクワでは、参加者たちの練習には、もっぱらコンクール会場に隣接した音楽院内のレッスン室があてられる。各レッスン室は分厚い壁と二重扉に遮られており、内には徹底的に使い込まれた各種のコンサート用グランドピアノがたいてい二台ずつ入っている。実は私も、モスクワに演奏会で行った折などに借りることがあるのだが、一番よい部屋には相当消耗しているとはいえ、ともかくスタインウェイのコンサート用ピアノが二台入っている。

こういった良いピアノの入った教室は、音楽院の代表的な教授たちのレッスン室でもあり、その壁には過去の使用者たちの遺影とその在任期間が名誉として刻まれている。ネイガウスやオボーリン、オイストラフなどの威厳に満ちたポートレートを横目に見上げながらラフマニノフなどを練習するのも、まるで学生時代に逆戻りしたかのような気分になって楽しいものである。

これは余談だが、今回のコンクール期間中、私を含めて何人かの審査員たちは、コンクール終了後に控える自分たちの演奏会に備えて各々院内のレッスン室を借り、昼休みに練習をしたのだが、審査員と参加者の双方が練習室を探して音楽院のうす暗い廊下を

ウロウロしながら鉢合せをする光景というのは、どことなくおかしなものであった。お互いについ、「やあ」なんて、不本意にも挨拶を交してしまったりする。

ところで今回は、第一次予選までは、参加者たちは一日二時間しか練習室を保証されなかったという。恐らく緊縮財政問題とか人数の問題もあったと思われるが、もし参加者が絶えずピアノに触っていないと不安になる神経質なタイプの者であったなら、一日二時間では気分的に参ったのではあるまいか。もっとも、かつてエリザベス・コンクールで若冠十七歳で第一位となったソ連のモギレフスキーは、コンクールの本選当日、朝起きてビフテキを食べ、自分の出番までピンポンをして遊んでいた、というエピソードが残っている。そのくらいタフな神経でないと第一位は獲れないのかもしれない。

次に、「食・住」だが、まず「住」の方は、参加者はホテル・ロシアのツイン・ルームに、原則的には同国人同士の組合せで、二人一部屋が与えられる。そして「食」の方は、食費としてあらかじめまとまった金額のルーブリが手渡されており、その範囲内で参加者たちはホテルその他で自由に食事をとることができる。ただし、交通事情その他で、結局のところホテルで食事をとることになってしまうようである。そんなわけで、実際問題としてホテル・ロシアの中では、廊下でもレストランでも審査員と参加者たちが絶えずすれ違うということになる。

西側のコンクールではこういったことを厳しく律している場合が多く、例えばベルギーでは、審査員がコンクール期間中に参加者にレッスンをするのは当然のこと、コンタクトをとることさえも禁じている。

かつてエリザベス・コンクールのヴァイオリン部門で審査員を務めたことのある海野義雄氏が語ってくれたところによると、彼がコンクールに参加しに来ていた彼の生徒とやむを得ない事情で会わざるを得なくなったときには、公園に呼び出して散歩をしながら話し合ったという。これではまるで007の映画である。

これに対してモスクワでは、自分の生徒には採点をしないこと、という決まり以外は、審査員とコンテスタントとの関わりについて格別な規則はなく、いってみれば極めて開放的である。実際のところ、例えばコンクールの直前や最中にレッスンをしてみたところで、生徒の本当の実力が突然変るといったものでもないし、むしろ演奏直前にあれこれ先生からつつかれたために萎縮して、駄目になる危険性だってないとはいえないだろう。

従ってホテル・ロシアのレストランでは、混んでいる折など参加者と審査員が相席で食事をしている光景もよく見受けられた。私も何度かそういう情況になったことがあるが、自分が採点をつけている人たちとの食事というのは、当然のこととして積極的に楽しいものとは言い難い。できることなら、避けた方がお互い食欲が増すだろうと、つく

づく思ったことだった。

18　孤軍奮闘の場合

参加者たちを迎え入れるための、こうした基本的受入れ態勢は、当然のことながらその主催国や主催団体の経済的事情や、ときとして政治状況の大きな影響下におかれることになる。

ずいぶん昔のことになるけれど、イスラエルで第一回アルトゥール・ルービンシュタイン・コンクールが開催されたことがあった。そして、それに先立つ何ヵ月前のことだったろう、テル・アビブ空港で日本の赤軍派岡本公三が多数の一般市民を殺害するという事件が起って間もない頃に、東京にいた私のところに、ある日突然イスラエル大使館から、「是非このコンクールに行って貰えないだろうか」という依頼がきた。その話を耳にした私の友人たちは、口ぐちに私を引き止めた。或るアメリカ人は、こうも言った。「もしかしたら、トマトを投げつけられるかも知れませんよ」。本当のところ、彼は私がトマトどころか銃で狙われることを恐れたのかもしれない。

もちろん、音楽は原則として国境を越え政治状況を越えるべきものであって、岡本公

三による日本の不名誉をピアノで回復するのも使命の一つだったかもしれない、と今なら言えるだろう。ほら、火中の栗を拾うという言葉もあるわけだから。ただし、火中の栗を拾いに出かけてやはりトマトでは、シャレにもならないわけでもあるが。

ところで、もう二十年以上も前の話になるが、一九六五年二月にワルシャワで開かれた第七回ショパン・コンクールを受けるため、その数ヵ月まえからワルシャワで準備を進めることになった私は、そこで一ヵ月ほど生れて初めての下宿生活を経験した。

当時ワルシャワで私が師事していたのは、パデレフスキの高弟でショパン音楽の演奏解釈の最高権威とされていたズビグニュウ・ジェヴィエッキ教授だった。もとはといえば、夏休みを利用してジェヴィエッキ教授のレッスンを受けに行ったところ、「ショパン・コンクールを受けてみたらどうか」と勧められ、半ばそのまま居つくかたちとなってしまったのだが、その折、先生のご紹介で私がお世話になったのは、当時のショパン協会事務局長夫人の実家である元貴族の邸宅であった。三食付きでグランドピアノ付き、という願ってもない条件であった。

さて一九六四、五年頃のポーランドというのは、在留邦人の解説によれば、生活状況は敗戦直後の日本にも似た状態であったようである。とにかく、日用品食料品が徹底的に不足していた。

その当時の東京はといえば、東京オリンピックを境に日に日にめざましい変貌をとげてはいたものの、国民生活はまだどちらかといえば発展途上国そのもので、現在の豊かさからは程遠かった。例えば、今は使用するのが当り前になっている色とりどりの美しいティッシュ・ペーパーなどというものが初めて日本に登場したのは、そのわずか一年ほど前のことにすぎない。一ドルは依然として三六〇円の時代であったし、他の国々に、自分たちの生活の豊かさを誇るにはあまりにもつつましい状況ではあったが、にもかかわらず、日本の終戦後のみじめさを何ひとつ記憶していない私は、ワルシャワで一種のカルチャー・ショックを受けたものである。

まず、住宅事情。私の下宿したその元貴族未亡人の家は、市内には珍しい、家というよりも館《やかた》と呼ぶ方がふさわしいような古く堂々たる構えをみせていたが、中には三つの家族がひしめいていた。

家主である未亡人とその二十歳になる末娘、そして化石のように生気のない表情をした女中（この身寄りのない老いた女性は、もう十九世紀からずっとそこに居ついているといった感じで、台所の一隅にひっそりと起居していた）。次に、私の隣り十畳ほどの一室に、赤ん坊まで含めてなんと六人家族、更に向い側の小部屋には若い夫婦と子供。これだけの人数にトイレは一つ、ただし私は外国人であるためであろうか、家主母娘専用となっている古びたバスルームを使用できることになっていた。風呂は週に一回、そ

れもバスタブに三分の一ほどしか湯が出なかった。

私が借りた一室は、かつてはその家では一番いいサロンだったのだろう。古色蒼然たるベーゼンドルファーのグランドピアノと、凝った細工の家具が入っており、色の褪めた絹布張りの壁には、女主人の若かりし頃のあでやかなローブ姿を描いた大きな油絵がかかっていた。

しかし、驚くべきことには、その絵にも壁にも、そして部屋のそこかしこにも、この前の戦争のときに受けた銃撃のあとがそのままくっきりと刻まれていた。朝の爽やかな太陽の輝きを浴びながら、ショパンを練習していてふと絵を見上げたりすると、思いがけずもキャンバスを貫いた銃弾の痕跡がひどく生々しく浮かび上って見えてきて、思わずぎくりとして弾く手を止めたりしたものである。

人々は依然として第二次大戦のときのことを、まるでつい数日まえの出来事のように話していた。私の通訳としてパガルト（ポーランド国営音楽エージェント）がつけてくれた若い女性ヨランタは、ワルシャワのユダヤ人の数少ない生残りであったが、「今でも人の寝静まった深夜に、街角の石畳を誰かがブーツを鳴らして歩いたりすると、ゲシュタポがついに私を見つけたのかと思わずガバッと起き上ってしまうのよ」と、笑いながら語った。

ワルシャワの人々は戦後二十年たってもなお、その深い心の傷痕や痛手を日常のこと

として受け継ぎ、見つめていた。それは、敗戦国に生れ育ちながら、戦争の悲惨さ自体は幼くて何ひとつ実感として知らずに成長してきた私には、単に驚きと呼ぶにはあまりにも衝撃的でありすぎた。私は夜ベッドに入っても、あれこれと想像を廻らせて昂奮し、眠るどころではなくなったりした。

下宿では女主人も娘さんも、親切で音楽好きで大変いい人たちであったが、私はそれから間もなくそこを出て、ホテル住まいをすることにした。隣りの部屋でおじいさんとおばあさんと赤ちゃんや子供が、奇妙にしいんとしているというのに、そこで朝から晩まで盛大にピアノの練習の音を響かせるというのは、どうも私の性分に合わなかったのだ。毎日、ごめんなさい、と心のなかで思いながら練習するのは、相当に気疲れするものである。それに、実のところピアノ自体もひどいもので、ヨランタの骨董品のようなベヒシュタインの方がまだしっかりとしていて、私の練習に応えるだけの力が残っていた。日中は勤めに出ている彼女から、自由に使いなさいと勧められてもいたのだ。

さて、当時のワルシャワでは、闇でドルを高く交換するのがいわば外国人旅行者の常識となっていて、私も親切なヨランタのお蔭で得をし、わずか一ヵ月八十ドルほどで、ワルシャワの一流ホテルで食べ放題飲み放題の毎日を送ることとなった。などというと、いささか誇張がすぎるかも知れない。私の泊ったグランド・ホテルにしても、ユーロペ

イスキ・ホテルにしても、当時のワルシャワでは確かに一流のホテルとされていたが、レストランのメニューには現実には品切れで食べることが不可能な料理ばかりが並び、実際にあるものといえば、堅くて臭い牛肉の塊りを焼いたステーキに羊のシャシュリクなど、ほんの数品。野菜は古くて悪い油で揚げたためベトベトに黒ずんでいるポテトのフライと、酢漬のキュウリだけ、といった有様だった。ワルシャワは全体に窮乏生活を強いられていたけれど、それでも家庭ではホテルの料理よりははるかに変化のあるものを、皆食べていた。なぜか、ホテルのレストランというのは、ポーランドで一番ひどい食事を出す所であったのである。

その上、こうした最悪の食物を手に入れるため一人でレストランへ入る、ということ自体、実は当時二十歳を迎えたばかりの私にとって日常生活最大の心の重荷であった。私は既にニューヨークで留学生生活を少しばかり体験してもいたのだが、ニューヨークでは学校があり、友人も沢山いて、一人でレストランに入らなければならないという事態には、あまりぶつからずにすんだ。ところがワルシャワでは、原則として一日に三回レストランに入る。特に嫌なのは夜であった。ダンス音楽の耳をつんざくような喧騒、トルコ煙草やアルコールのムッとするような臭いの充満した室内、そこに勇気を奮って入るやいなや、酔っぱらいたちの露骨な視線を浴びることとなる。テーブルに座ると、こんどは親切な人たちが寄ってくる。一人じゃ淋しいでしょう、こちらのテーブルにい

らっしゃい、ダンスをしましょう、シャンペンはいかが、ウオトカはいかが、日本とポーランドのためにナ・ズドロヴィエ（乾杯）、ところで、ロシアをやっつけてくれたあの偉大なノギ大将はお元気ですか……。

私は一計を案じた。レストランに行くときは必ずサングラスをかけて、視線が合わないようにする。本とか書きものの一式を携えて行き、テーブルに着くやいなや脇目もふらずに忙しそうなポーズを作る。

なんとか食事を終えて、ようやく自室にたどり着き、ふと鏡の中に映る自分の顔を見やると、私のまなじりはいつもキッと吊り上って、「寄らば切るぞ」とでもいった顔つきになっていた。とても、あのショパンの音楽を豊かに演奏するために必要な柔らかな心のひだをしみじみと紡ぎ育んでいる顔ではない。今思い出しても、とにかくコンクールの最後までよく神経が続いたものだと、不思議でしようがないほどである。

いや神経だけではない。二十数年たった今初めて打ち明けることだが、私はコンクールの途中で、ワルシャワの寒さのせいかビタミンC不足のせいか、風邪をひいた。上述のような状況下で、病気に対して適切な措置をとることの困難さは信じ難いほどのもので、合わぬ薬のせいでおなかまでこわした私は、三十八度の熱をおして本選に出場するという孤軍奮闘ぶりだったのである。

なお、この一九六五年のショパン・コンクールには、日本からの参加者は私も含めてたった二人であった。もちろん、日本からの審査員の参加もなかったし、日本人の聴衆さえ地元の留学生も含めてほんの数名であった。

しかし、その次の回からは、参加者も大幅に増え、日本人審査員も招待されることになった。時あたかも日本の経済成長が本格化したのである。

そして二十年後の一九八五年には、なんと二十六人の日本人ピアニストが参加し、その肉親家族から先生、友人知人に至るまでの応援団、さらにはNHKをはじめとした各報道関係者に、海外旅行会社企画のコンクール見学ツアーまで加わっての一大日本人集団が、ワルシャワの町に溢れることになる。なにしろ、コンクールの会場であるワルシャワのフィルハーモニック・ホールの三分の二が、多少誇張もあろうがこれらの日本人聴衆によって占拠されてしまい、五年に一度のお祭り騒ぎをたのしみにしていたポーランド人たちが入場できず、密かな不評を買ったほどだといわれている。

ポーランドの聴衆は、全員自分も審査員になったようなつもりになって、身を入れて演奏を聴く。そして時には、若いピアニストたちを競馬馬よろしく「どれが本命でどれが穴か」と賭け合ったり、あるいは「ミス・コンクール」はどの娘かと投票しあう、といった番外の楽しみもそこに加わることになるからである。

今考えてみると、あの時の私は、ちょうど毛糸の手袋にマフラーを巻き、テニスシューズをはいただけでアイガーの北壁に必死にしがみついていたようなものかもしれない。そして、こんなことを悲愴感とは離れて、むしろ滑稽にそして或る懐かしさをもって思い出せるというところに、時の流れの秘密があるのだろう。

19　応援団

一般論として、日本で生れ育った日本人が、「本場」での国際コンクールに乗り込んで行って腕だめしをする、というのは、考えれば考えるほど尋常ならざる事態であるように思える。そして欧米との交流が日常茶飯事となり、パリやニューヨークが自宅の庭続きのように思える現代であっても、依然として日本人が外国に出た場合に受けるカルチャー・ショック、とまでいかなくても、ある緊張感のようなものは、恐らくイギリス人がモスクワに行って受けるカルチャー・ショックの程度とは比較にならないほど大きなものであろうと思われる。

それは例えば反対に、日本人が韓国や中国を訪れたときに第一印象で感じる、あの、気楽さとか親しみやすさのようなものを思い浮かべれば、分ることと思う。初めて訪れ

た国なのに、街で見かける人々は自分と同じ顔、同じ膚の色をしているし、看板などを見れば、なんとなく何が書いてあるのか分るではないか。そう思ったとたん、どこかしらホッとした気持になるのは、これは理屈ではない。

一方、外国の未知の町で、例えば暗がりから突然現われた顔が、自分とは明確に異なる膚の色をした異質の人種のものであったりすると、一瞬心が緊張する。これも、理屈ではないのだ。

こうした日本人の心理状態は、欧米人の参加者に比べれば、明らかにハンディキャップとなる場合が多い。しかもコンクールに参加するのは、ただの旅行ではなく、その異国で、異国で生れた音楽を演奏するのである。まさに尋常ならざる事態ではあるまいか。そこで、そうした心理的精神的な面も克服して、コンクールの主催者側が準備する環境条件のなかで実力をうまく発揮させるためには、参加者を私的にサポートする態勢に重要な意味が生れてくる。それは具体的には、現地における日本大使館及び大使などの理解と関心、友人や知人の力、さらには両親、兄弟、肉親、そして習っている教師などといった、極めて私的で参加者の日頃を知り尽している人たちの応援団の役割である。

このうち、肉親の応援団といえば、恐らく史上最強にして最大、とでもいうような猛烈な例を、私は一九八二年のチャイコフスキー・コンクールで目撃したことがある。

モスクワ音楽院でマリーニンについて勉強していた、フィリピン人のマリア・ロヴェナ・アリエッタという若い女性であったが、なかなかテンペラメントに溢れた演奏はするもののやや雑で躁がしく、私の個人的見解では第二次は通るかどうか、というところであった。

ところが、第二次予選の終る頃、ある噂が審査員の耳から耳へと広まった。

——アリエッタは、フィリピンのマルコス大統領の姪である。折からソ連政府はマルコス夫人の訪ソを要請しているが、夫人のスポークスマンによれば、もしアリエッタが第二次予選を通過して本選に出場するのであれば、応援かたがた訪ソしてもよいということである――。

アリエッタは第二次予選をパスし、そして伯母さんのイメルダ・マルコス夫人はモスクワにやってきた。なんと専用ジェット機に、外務大臣をはじめとする二百名もの随行員を乗せて。そしていよいよ本選でアリエッタが演奏する日には、マルコス夫人はソ連文化省のデミチェフ文化大臣その他を従えて、音楽院大ホールのバルコニー席に、さながら帝政時代の女帝のごとく姿を現した。彼女の身につけているルビーの装身具一式が、遠目にも素晴らしい輝きを放って、その前では「モスクワの赤い星」でさえも色あせて見えるのではないかと思われるほどであった。

アリエッタは、結局六位に入賞した。噂によれば、マルコス夫人からお祝いに、メル

セデス・ベンツの新車を一台貰ったという。アリエッタがメルセデスなら、その先生を務めたマリーニンには何が届いただろうかと、口さがない噂が飛びかったが、マルコス王朝崩壊後、アリエッタがどうなったか、今では知る人もない。

このマルコス夫人のような伯母さんがつきそってくれていたら、さぞ心強いに違いないが、実際のところ、参加者の両親、少くとも母親のサポートというのは、若くて不安におののく参加者にとっては極めて重要なこととなる。すでに結婚して一児をもうけ、更に離婚までしていたマルタ・アルゲリッチにしても、ワルシャワではお母さんがずっと付き添って世話をしていた。

昨年の秋、東京で行われた国際コンクールでの優勝者のイスラエルの青年には、両親が揃って来日し、そのため「まるで自分の家で弾くのと同じような気楽な気持で」演奏することができた、とインタビューで語っている。彼はそのうえ、審査員の中に自分の先生が加わっているのを知っていたのだから、いわば「万全の態勢」であったわけだ。

コンクールばかりでなく、例えば昨年話題をさらったブーニンやキーシンにしても、まだ年若いということもあるが、先生とお母さんが付き添っての演奏旅行であった。「ステージ・パパ、ママ」はときとして滑稽な侮蔑を招くこともあるが、しかし特に国際コンクールの場では、何よりの精神安定剤の役割を受けもつのである。

次に大使館の役割についても触れておくべきだろう。

話はワルシャワに戻るが、一九六五年当時の駐ポーランド日本大使は、噂によればいっぷう変った人物であるらしかった。夫人はいるが、不自由なワルシャワの生活ぶりが気に入らぬとかでジュネーヴに住み、ワルシャワには滅多に現れない。大使自身も日本及び日本人が嫌いで、というよりもどうやら内心同胞を軽蔑しているようだ、というのがもっぱらの風評であった。官邸に日本人が夕食に招かれても、和食を嫌う大使の好みに従ってご飯の上にはバターがかかっているほどだという。そしてこの散々の風評は、ポーランド人の音楽関係者たちの間にも及んでいて、私など審査委員長から「こんどの日本大使は、音楽に全く興味がない人らしいね」などと失望とも同情ともとれる口調でささやかれたものである。万事がおそろしく旧式なワルシャワでは、大使館とか大使閣下といった存在は、十九世紀的な尊敬と関心を集めていたのである。

コンクールが始まると、ワルシャワのアメリカ大使館では、アメリカからの参加者に対し、極めて積極的な応援活動を行った。第一次予選から、アメリカ人参加者が演奏する日は会場には大使館関係者が大挙して現れ、多少下手くそであろうと拍手にブラボーと、大変な声援を送る。いつの間にかコンクールの事務局で働く若者たちが、みなアメリカ製のボールペンを使うようになっていて、あれは大使館がプレゼントしたものらしいと、そんな噂までとびかうほどであった。アメリカ大使館の文化担当官の家ではひん

ぱんに気軽なパーティが開かれ、そこでは、参加者の世話をする役目のポーランドの若者たちまでがまるで自分の家のように台所の冷蔵庫を勝手に開けて飲物や食物をとり出していた。私もジュリアード音楽院の学生ということで何度かそこに招かれて行ったのだが、そうした和気あいあいとした雰囲気に接するにつけ、日本人としての孤独感をひしひしと感じさせられたものである。

実際のところ、こうしたアメリカ式のパーティ外交が、コンクールのような場において具体的にどういう積極的な効果を及ぼすかについては、私には分らない。またもちろん、当時のアメリカではポーランド系移民の票田というのが大統領選挙に多大な影響力をもっていた、というような特殊な関係もあったかも知れない。しかし、自分の行っていることを自分の生れた国が全面的に支援し見守ってくれているのだ、という実感は、アメリカの若者たちの心に計り知れない勇気と力を与えたことだろう。

一九六五年のこのショパン・コンクールでは、十二名の入賞者のうち実に五名までが私と同門、アメリカのジュリアード音楽院レヴィン門下であった。

表彰式にはアメリカ大使夫妻も出席し、日本人である私にまで美しい花束を贈って下さった。「アメリカのジュリアード音楽院で学んだあなたの成功を、心から嬉しく誇らしく思います」というカードを添えて。

さて一方、我が日本国大使閣下といえば、日本人として初めて入賞した私のために表

彰式に出席して下さったわけではむろんなく、その気持はホテルに「お祝い」として届けられてあったコカコーラ半ダースにこめられていた、というわけだった。ものの欠乏しているワルシャワでは、花より団子、花束よりコーク、と考えての、大変に現実的な心遣いであったのかも知れない。

この大使閣下はなかなかのキャラクターであったらしく、それから暫くして自著のなかで「日本人はホッテントットの次に醜い人種」というような意味の発言をして、当時の愛知外務大臣から大使を罷免され、話題となった。

念のためにつけ加えれば、今回のチャイコフスキー・コンクールでは、アメリカについで多数の日本人が参加しに来ていたにもかかわらず、審査員の私たちには和食のお弁当の差し入れなどのお心遣いはあったものの、参加者たちに対しては日本大使館からは何の支援もなかった。こうしたことは、予算の問題もあるだろうし、また大使個人の関心の有無にもよると聞くが、基本的には文化というものに対する認識の問題に関わってくることであると思う。

チャイコフスキー・コンクールというのは、ソ連が国をあげて開催している、芸術文化の催しとしては最大にして最も権威ある行事である。その入賞者記念演奏会には、ゴルバチョフ書記長自らが出席し、若い演奏家たちの熱演に耳を傾ける。こうした状況に

際して日本の大使が積極的な関心を示すことは、日本は経済最優先で文化は後廻し、といった悪名高いイメージを修正することにこそなれ、決して無駄なことではないと思うのだが、如何なものだろうか。

コンクールの期間中に、今回ピアノ部門のもう一人の審査員として参加された江戸京子氏の厳父、三井不動産会長で日本国際コンクール会長でもある江戸英雄氏がモスクワを訪れ、その肝煎りで三井物産モスクワ支店長宅で、我々審査員やコンクール関係者、報道陣などを招いて大変盛大なパーティが催されたことがあった。その席には大使夫妻も客として出席していたが、その姿はまさしく日本の現代社会をシンボリックに表しているように見えた。即ち、まず民間が出かけていき、市場を開拓し、そのあとを官が追いかけるという、あの方式である。日本はそれによって経済大国になったが、文化大国となるのにもまずは民間が開拓しなければならない。このパーティは、私にそう語りかけているように思えた。

VI

ランダルたちの運命

20　〃ツーリスト〃はいなくなったが

六月も終りに近づくと、モスクワは夏本番という感じになって、直射日光は耐え難いほど強い。木陰を求めて緑したたる公園に入ると、夏休みを楽しむ親子連れのなごやかな雰囲気に溢れていて、コンセルヴァトーリのホールでの出来事など、遠い所のことのように思えてくる。

柳の枝のしだれる池には、白鳥と共に黒鳥の優美な姿も見える。うかつなことに私は、今の今まで、黒鳥というのは「白鳥の湖」のなかにだけ現れる想像上の生き物であるとばかり思っていた。モスクワの池に遊ぶ黒鳥の、その嫋《たお》やかなうなじを伏せて水面をゆく姿は、白鳥に勝るとも劣らず優美で魅惑的である。

さて、第二次予選は、六月二十一日朝十時から始まった。第一次予選に参加した百十一人のうちから選ばれた三十九人が、これから五日間にわたって熱演を繰り広げるわけである。審査員席にも、第一次予選のときとは打って変った緊張感が張り始める。もう〃ツーリスト〃は出てこないことをみな知っているからであろう。

第二次予選において第一次と最も異なる点は、演奏曲目がリサイタル・プログラムで通常よく演奏されるような大曲となり、そういった大曲をどう料理するか、が審査の重点となるというところにある。

前にも述べたように、コンクールの審査は三段階に分けられる。そしてその第一段階では、バッハの平均律に始まって、ソナタ形式で書かれた古典曲、ショパン、リスト、スクリャビン、ラフマニノフなどのエチュード、それにチャイコフスキーの小品集「四季」のなかから一曲、というレパートリーが課せられ、主として第二次予選へ進むに足るだけの音楽的技術的素養を備えているかどうかが判定された。

しかしこれから始まる第二次予選では、演奏家としてのレパートリーに欠くべからざる大曲が、課題曲、自由曲の双方に加わる。例えば、ベートーヴェン後期のソナタやショパンのソナタに始まり、シューマンの交響的変奏曲やリストのソナタ、そしてラヴェルの「夜のギャスパール」、プロコフィエフのソナタ、ストラヴィンスキーの「ペトルーシュカ」、そして各コンテスタントの自国の作品に至るまで、加えてこのコンクールのために委嘱作曲されたソ連の現代作曲家コマルコワかボリス・チャイコフスキーのどちらかの作品を一曲という、ほぼちょっとしたリサイタル一夜分に匹敵する長時間のプログラムを聴くことになる。今年は経費の都合上、一人約五十分以内で収めるように、と時間制限が急遽つけられてしまったのだが、それでも五十分というのは、弾く方にと

っても聴く方にとっても相当に重い仕事であることに変りはない。

更に本選では、演奏当日にただ一回だけのオーケストラ・リハーサルを経て、チャイコフスキーのピアノ協奏曲ともう一曲、任意のピアノ協奏曲を演奏しなければならない。

採点法は、第一次、第二次ともに二十五点満点で、五段階に分かれており、当落のボーダーラインは十七点ないし十八点あたり、というのが一応の目安となっている。本選は協議制で、挙手で決める。

ところで、このように第一次予選から本選までの過程で、古典から現代作品に至る多彩な大小さまざまなタイプの作品を網羅したレパートリーを演奏させるのは、なにもチャイコフスキー・コンクールに限ったことではない。なかにはもっと欲張ったコンクールもあって、第二次予選でピアノトリオなどの室内楽、あるいはヴァイオリンとのソナタや歌の伴奏まで課すところさえある。

そしてこのような形でのふるいにかけられると、結果は当然のこととして、「万能型」のピアニスト、しかもロマン派音楽の演奏において「ヴィルチュオジティ」をふるうタイプのピアニストが、一般に有利となる傾向になる。八二年、八六年と二度にわたって、私が審査員として見聞したチャイコフスキー・コンクールに限っていっても、たとえば

或るピアニストがモーツァルトやバッハ、あるいはドビュッシー、ラヴェルといったロシア物以外の或る特定の作曲家の作品において、仮に圧倒的な出来映えを披露しようとも、そういったいわば異能奇才型よりも、満遍なく一応すべてのピアノのレパートリーを水準以上に演奏し、バランスよく能力を披瀝する優秀な〝凡才〟の方が、はるかに勝ち残る可能性をもつということがいえるのである。

これには恐らく、ピアニストとしてのキャリアを始めるに際しては、聴き手のニーズに合せて何でも即座に演奏できるいわば「デパート」タイプのピアニストの方が、「専門店」タイプよりも有利かつ実用的、とでもいった現実認識が働いているのかもしれない。なにしろ欧米では、何でも弾ける無名の若者が、「大家のキャンセル待ち」を狙ってひしめいているのであるから。

そして前にも触れたように、そもそもコンクールというもの自体、そういった「キャンセル待ち」の若者も含めて、演奏家として既に準備が整ったと思われる、にもかかわらずそれを発揮するチャンスに恵まれない、そういった人たちを世に送り出すことが主目的で始まったものであることも、忘れてはなるまい。言いかえると、一世紀に何人というような類い稀れなる才能を発掘するという大きな夢よりも（もちろん、そういう才能が現れてくれればそれにこしたことはないが）、むしろ定期的に才能ある「若い芽」を世に送り出そうという現実的な目的の方に、比重がかかっていることになる。

これはよくあることだが、音楽界の一部も含めて一般に人々は、コンクールで上位入賞を果したばかりの新人を、えてしてホロヴィッツやリヒテルその他の完成された大家の演奏と比較したがるものである。しかし現実には、これほど年がら年じゅう世界のあちこちで国際コンクールが開催されているような状況のなかでは、こういった大家との比較に耐えるような目のさめるような無名の大天才が、そうちょくちょく出現するものではない。むしろ多くの場合、「コンクールのヒッチハイカー」とでもいうような常連の若者たちが、あっちで五位、こっちで三位、という具合に経験を積んでおいて、いよいよチャイコフスキー・コンクールに挑戦、そして首尾よくいけば上位に入賞、という感じなのである。そしてこういった、一種日常茶飯事化したとでもいうような事情は、聴く側、すなわち審査員たちの方にも当然あるのであって、「あの子はクライバーンを受けたときはずい分荒っぽかったけれど、今度はずい分よくなったたね」などと評しつつ採点したりすることになる。今回第一位となったバリー・ダグラスは、その良い例であろう。彗星のごときデビューと呼ぶには、程遠いといわねばならない。

また、例外もあるだろうが、いったいにコンクールというものは、原則として一位を出すことになっている。そしてその一位は、今も述べたように、ホロヴィッツやミケランジェリに比較しつつ、つまり絶対的な基準に拠って選ぶものではなく、たまたまそのコンクールに参加したコンテスタントたちの顔ぶれからいわば相対的基準に拠って選ぶ。

そして場合によっては、ソ連の審査員の一人であるドレンスキー教授（例のブーニンの先生）がいみじくも私に語ったように、「その一位が、これから先超一流の芸術家に育ってくれるかどうかにまで、選んだ自分たちには責任はない」のである。

このあたりの事情を考える時、私がいまだに印象深く思い出すのは、私が一九六五年の夏休みを、ニキータ・マガロフのレッスンを受けながらスイスで過した時のことである。その夏の初めにルツェルンで開催された第二回クララ・ハスキル・コンクールに、審査員だったマガロフのあとにくっついて私も聴きに行った。ちょうどショパン・コンクールを受けた直後であっただけに、紫陽花の咲き乱れる夢のように美しく平和な湖のほとりで、弾く方から聴く側に廻ってのコンクール見学というのは、天と地ほどにも違って楽しく、そして気楽だった。

さて本選では、オーケストラ伴奏で六人のピアニストが演奏したのだが、これといって際立った人もなく、ベートーヴェンのピアノ協奏曲第一番を弾いた若い男性ひとりがやや印象に残った程度で、しかもそれもこぢんまりとしていて、さして格別な出来映えというわけでもなかった。そして恐らくはそのためか審査は難航し、結果の発表が延々と遅れてしまうことになった。

そして、私は今でもよく覚えているのだが、やっと審査員室のドアが開いたと思った

ら、審査員の一人だったゲザ・アンダがびっくりするような荒々しいそぶりで姿を現し、憤然と消えて行ったものだった。

あとでニキータ・マガロフから聞いたところによれば、話合いの結果、審査会が「本年は一位なし」と判定を下したところ、このコンクールに賞金を出すスポンサーが強硬な異議をとなえたのだという。その異議とは、第一回、第二回と連続して「一位なし」では、折角コンクールに賞金を出しても評判にもならず効果がない。従ってもう次からはスポンサーを降りる、という強硬かつ現実的なものだったので、結局もめにもめたあげく、審査会は不本意ながらも一位を出すことに決定したのだった。

ところで、そういったいきさつで一位を得たのは他でもない、今やピアノ独奏に指揮に大活躍かつ円熟の境地をみせる、クリストフ・エッシェンバッハその人だった。ここで一位を得たエッシェンバッハは、以後このチャンスを跳躍台として世の中に出る。それ以降の活躍ぶりは周知の通りである。ついでながら、このルツェルンで行われていたクララ・ハスキル・コンクールに関しては、その後いちじ情報が途絶えてしまった。もしかしたら、その後の経過で、本当にスポンサーが降りてしまったのかもしれない。

21　一九八二年の場合

遡って一九八二年の第七回チャイコフスキー・コンクールにおいても、本選終了後の深夜十一時すぎから始まった審査会はもめにもめ、入賞者が決定したのは実に、夜も白々と明けてきた朝方であった。

この年は、最初から一位と目されるような圧倒的なピアニストが欠けていたうえ、予選の独奏曲では好調だった参加者が本選のオーケストラとの協演になった途端に絶望的な破綻をきたすなどの混乱があって、審査は文字通り混沌として議論百出であった。ポーランドからの審査員スメンジャンカ女史など、「全員を（入賞ではなくて）入選にしたらどうか」という思い切った意見を述べ、それがあまりにも極端であると他から否定されると、「それならば、全員を六位にでもしたらよいでしょう」と言い放ち、以後不機嫌に押し黙ってしまったほどだった。実際のところ、その年は例年になくレヴェルが低く、本選出場者のなかには、コンチェルトの暗譜もうろ覚えで、やっとなんとか最後の和音にたどりついた、といえるような程度の演奏をする者も含まれていたのである。

審査会は順位をどこから始めるかで意見続出し、つまるところ一、二位無しの三位か

らならばどうか、という線でいったんはまとまったのだったが、そこで異議をとなえたのは文化省であった。

「できることならば、一位を出してほしい」

「いや、それは今回は無理である」

「しかし、一位無しは、チャイコフスキー・コンクール始まって以来の事態である」

「でも、権威にかかわる」

というようなやりとりが延々と続き、そして結局一位無し、しかも二位を二人で分ける、という最終決定で双方が歩み寄ることになった。

このとき二位を分ち合ったのは、英国人のピーター・ドナホーとソ連のウラディミール・オフチニコフで、ドナホーは既に三十歳、オフチニコフは二十四歳だった。

ドナホーは、第一次予選では成熟を感じさせるくぐもって美しいピアニシモで私の関心を惹いたが、惜しいことにフォルティシモになると技術に破綻が生じ、地味で年齢よりずっと老けてみえるその外貌とも相まって人気も呼ばず、当落すれすれの得点で合格した。第二次予選では全般的に第一次予選よりはるかに安定した良い演奏をみせ、他の若者たちに比べて技術も内容もそれなりに完成した演奏家としての演奏を披露したが、しかしその中のリストのソナタなどは、聴衆からは大喝采を浴びる一方で一部の審査員からは総スカンを食うという、まことに珍しいほど対照的な反応を呼び起すこととなっ

た。ペダルが異様に少なくドライで、それ故抒情的な部分では音が固く横に流れない。また、音楽のいたるところで壮大な流れを遮って小細工を弄し、しかもそれに必然性が感じられないので、わざとらしさが鼻についてくる。それどころか、聴いているうちにその音楽の不自然さに苛立ってさえくる……。しかし、総体的にはなんといっても大人の演奏であった。

いっぽうオフチニコフは、第一次予選では最高点をマークしたものの、ヴィルチュオーゾと呼ぶにはいささか肌理が荒く、だからといって際だって音楽的で人の心をしんみりとさせるというタイプでもない。音はどちらかといえば他のソ連のピアニストたちよりもむしろ痩せて固く、ふくよかさや濃やかさに欠けるきらいがあった。しかし第二次予選では、ソ連の同姓の作曲家オフチニコフの静かでとても短く美しいコラールを弾いたあと、そこから次のプロコフィエフのソナタ第七番二楽章に実に効果的に美しく引きついでいったあたりで、思わず周囲の聴衆から「やったな」という感じのどよめきが起ってしまったほどの粋な効果をあげた。選曲のセンスのよさである。黒い髪に黒い瞳、ちょっとバレエダンサーのようなセクシーな容姿で、はげでおナカが出たドナホーとはまことに好対照を成していた。

結局このときの第二次予選の結果は、ドナホーは当落すれすれの十八点で、十二位目をソ連のエルモラエフと同点で分けることになった。本選への出場者は十二名に限定さ

れているので、十二位の二人を加えると実際には十三名となる。そこで、いっそ十一名にするかどうかが審議され、実にきわどいところでドナホーは本選への出場資格を獲得したのだった。

このとき、とりまとめ役の審査委員長を務めたグルジアの作曲家タクタキシビリが、「まあ十三人出場させましょう」の一言を言い出さなかったなら、ドナホーの本選進出、すなわち（オフチニコフとタイでの）最上位入賞は起り得なかったことになる。さきほどのエッシェンバッハの場合といい、このドナホーの場合といい、まことにコンクールというものは実力だけでは不十分で、ツキというものを必要とする世界である、と改めて私は感じたものだった。

さて本選では、先ほども述べたように、オフチニコフを含めてほとんど十二人全員が、恐らくはオーケストラとの協演経験の不足からくる心理的動揺のためだろう、音楽的解釈を云々する以前の、いつ演奏中断が起るかとこちらまで心配になるような、文字通り手に汗を握る演奏を次々と展開することとなってしまった。

そしてこの成行きは、独奏曲を弾いた第一次、第二次ではパッとしなかったドナホーにとって、風向きが突然逆転したような幸運をよんだ。彼は、彼に先立って演奏した十二名の全員が自ら崩れていって、ほとんど壊滅状態となってしまったその一番最後に演

奏順が当っていた。とにかく十三人目の彼で、私たちは初めて、好き嫌い良し悪しは別として、チャイコフスキーとラフマニノフの第三番という大曲二つを極端なミスも少なくなんとか標準ラインでコンチェルトらしく演奏するピアニスト、とでもいったものに出会った、という印象を持ったのだった。

彼のチャイコフスキーは、例によって大きなフレーズが小刻みに切られ、わざと素気なく弾き飛ばしたかと思うと妙にねちねちと歌ったり、あの手この手を使うもののそれが感動にまで結びつかない、といった演奏だった。しかし彼は、チャイコフスキーの例えば第三楽章冒頭にくるテーマの繰り返しを、楽譜の指示通りの強弱で弾き分けたただ一人のピアニストでもあった(他のピアニストは全員、そこをただ音符を音をはずさずに弾くだけが精一杯で、フォルテとピアノの区別どころではなかったのだ)。またラフマニノフの第三番は、殊に第一楽章などほとんどまるでハノン教則本を弾いているかのような棒弾きぶりで、ラフマニノフ独特の、あのアッチェルランドをしたかと思うとすぐ引き戻す、うねるような情感には全く無縁の演奏であった。この曲はあまりにも技術的にこみいっているために、きちんと弾こうとするとまるで味気ないエチュードを弾いているような演奏になってしまうのだ。ところがこの曲においても、音楽的評価以前に、まがりなりにも技術的に最後まできちんと弾きのけたのは、彼一人であったのである。この結果としての際立った差には、オーケストラとの協演経験からくる心理的な余裕の

差がずい分あったに違いない。

いずれにしてもそれまでの三週間、それぞれのご贔屓であったピアニストが次々と列を作って自滅していったために、ブラボーを叫びたくても叫べず、ずっと欲求不満に陥っていた聴衆は、ここで初めてとにかくブラボーと、そして例のロシア式の手拍子を合せた拍手で騒ぐことができたのであった。「一等賞！」というかけ声も飛んだ。そして審査員は思わず渋い表情で、顔を見合せ肩をすくめ合う他はなかった。どうやら本選の結果は、誰の目からみても明らかであったのである。

さて、この時のコンクールでは、日本の小山実稚恵さんがものおじしない無邪気でのびのびと好感のもてる演奏で聴衆のアイドルとなり、三位に入賞した。もし本選で彼女が、経験を積んだ余裕のある演奏さえ見せていたなら、そしてドナホーが第二次審査においても「十三人目」で拾い上げられず本選に出場しなかったなら、幸運の女神は彼女の頭上に輝いていたこともあり得たかもしれない。まさにこれは千載一遇のチャンスであった。こんなことは人生に滅多にあるものではない。私は今でも他人ごととは思えないほど残念である。

22　ランダルたちの運命

一九五八年の第一回チャイコフスキー・コンクールでは、審査員に加わっていたリヒテルが第一次予選から本選に至るまで首尾一貫してヴァン・クライバーンに満点の二十五点を入れ、その他のコンテスタントには全員零点をつけたという。そしてそれ以来、リヒテルはコンクールの審査というものを引き受けなくなってしまった。その時の彼の胸中に何が去来したのか私には知るよしもないが、確かにあの年のクライバーンの出現は実に新鮮かつ圧倒的な魅力に溢れていたといわれる。つまり、誰の目から見ても彼の優勝は明らかであった。

ところがこれに反してこのクライバーンのようにずば抜けた才能が参加していないときには、コンクールというのはまことに判定が難しくなる。そんな場合、特に審査員が多い大コンクールとなると評価は極端にまちまちとなり、そうした中で突如幸運に見離される者が出るかと思えば、風向きがくるりと変って幸運を手にする者も出てくる。一位もそうだが、特に二位以下の判定は曖昧にならざるを得ない。すなわちコンクールであるからには、それがどの程度のものであれ一位にはそれなりの意味がある。しかし、

一位以外であるならば二位も十位も、あるいは三位も六位も、その才能や技術には数字で表されるほどの違いはないといっていい。見方によっては、リヒテルのクライバーンとその他に対する評価ではないけれど、一位以外は意味がないとさえ言えるのである。

八二年のコンクールで私の心を最もとらえたのは、ドナホーでもオフチニコフでもなく、ソ連邦エストニア共和国出身で、モスクワ音楽院でヴラセンコに師事したランダルという二十六歳の青年であった。彼は第一次予選では、実に粒子の細かい「ヴェルヴェット」のように艶やかな音色で私たちを魅了し、第二次では立体的な構成力、明晰なイメージ、心の余裕を披瀝して、第一次、第二次ともに上位をオフチニコフと争う位置につけていた。彼はすべてを平均して良く弾いたが、なかでも特に感銘を受けたのはモーツァルトとシューベルトの作品においてであって、この二人の作曲家の作品の演奏において彼が繰り広げた肌理濃やかで内面的な世界は、他の誰も持っていないものだった。

ところが、本選では期待を見事に裏切られた。要するに、チャイコフスキーのコンチェルトに全く不向きのピアニストであったのである。オーケストラの音と重なると音は埋れてしまうし、ピアニシモからフォルティシモまでの幅が狭く、しかも音楽が淡泊である。全体がマシュマロのように柔らかく頼りなげな音色で、クライマックスも盛り上らない。

もう一曲は、モーツァルトのK.271であったが、こちらの方が気質に合っていたのだろう、弾き始めるやいなや、音の伸びが急にいきいきと変った。とはいえ、どんなに感動的に弾いたとしても、モーツァルトのコンチェルトのみではチャイコフスキー・コンクールには優勝できないのである。

結果的には彼は、四位を同じソ連の全く対照的な馬力型ピアニスト、ガイドュクと分ち合うことになった。本選審査会の最初の提案意見では、一位なしの二位にオフチニコフとランダルの組合せを推す審査員もいた(私自身の意見は、不満は大いに残るにしても、総合的判定としては予選本選を通じてあまり出来不出来の差のなかったオフチニコフと、本選で唯一人まともに二曲の協奏曲を弾いたドナホーとの組合せであった)。二位の二人が決定し、次に三位決定の提案で再びランダルの名前が小山さん及びアメリカのピアニストとの組合せで挙ったが、何度か繰り返して挙手の投票を行っているうちに、小山さん一人ということになった。そして最終的には、本選のプロコフィエフの第二番協奏曲の第三楽章でほとんど一ページ半近く混乱に満ちた演奏を展開したガイドュクの名が急浮上し、最上位から落ちていったランダルとの組合せで四位に収まったのである。私にいわせれば、ランダルの肌理濃やかな美しい演奏に比べれば、ガイドュクの演奏はまさに黒い軽石のように荒々しくて、彼と同列におくなど考えることもできなかった。

こういうプロセスを見ながら私は、「運命のいたずら」そのものを眺めているような、

なんとも形容し難い心の痛みを感じた。しかしその私自身にしても、ランダルを高く評価したものの、率直にいってきわどくせり合っている日本人である小山さんの高位入賞を実現したいという気持が優先してしまって、一種のバランス感覚であったろうか、ランダルへの評価を相対的に弱めてしまった感じがあったのは否めない。

またこの判定には、審査員を務めていたガイドゥクの先生ドレンスキーとランダルの先生ヴラセンコを囲む周囲の審査員たちの、やや複雑でいわくいい難いバランス感覚のようなものの影響がなかったとはいえない。しかし、いずれにしても私は、ランダルの演奏に同位のガイドゥクはもとよりオフチニコフ、ドナホーなどにも見出せなかった格調の高さ、芸術的な品位というものを感じた。こういうタイプのピアニストが、何故チャイコフスキー・コンクールを選んだのか、私には分らない。そもそもこのコンクールに参加したということ自体が基本的なミスであると、私は思った。

実際のところ、このモーツァルトやシューベルトの作品において内面的な味わい深い世界をみせたランダルというピアニストの姿は、現代の「コンクール」というものを考えるうえで、極めて象徴的である。

既に述べたように、チャイコフスキー・コンクールの課題曲は古典から現代曲までと幅広いが、しかしその中心となっているのは十九世紀ロマン派の作品と、そしてチャイ

コフスキーからラフマニノフにつながるロシア・ロマン派の作品である。そして、そうした明確な価値基準が根本にあるなかで、優秀な凡才の方が個性の強すぎるはみだし者の異才よりもはるかに有利なチャンスを手にする、と私は前にも述べた。第一次予選の百十一人のなかには、本当に素晴しい才能に恵まれた若者が、少なからずいた。ある者はバッハを、ある者はベートーヴェンを、実に深い味わいと共に演奏した。しかし、ラフマニノフやリストやショパンで失敗し、ステージから消えていった。その姿を思うと、私の心は痛む。チャイコフスキーのあの華やかなピアノ協奏曲が弾けなくとも、あのように美しく知的なバッハが弾けるなら、それもまた素晴しい人生ではないだろうか、と、私の心は恐らくはもう二度と聴くチャンスは廻ってこないであろうランダルのバッハを懐かしむ。

ドナホーやオフチニコフは、多分超一流の芸術家として大成するには限界があるかもしれない。しかし、世界各地でほどほどのチャンスを得、ほどほどの知名度をもって活動していくことだろう。

他方ランダルは、もし彼が今後とも彼のピアニズム、そしてそれは恐らく彼の生き方そのものでもあろうが、その何かに重大な変化をもたらすようなものにめぐり逢わない限り、これから先もソ連国内に埋れて、外国に出るチャンスもなく人々の記憶から忘れ去られていくのだろう。そして、あれほどの芸術性を秘めたシューベルトのソナタに、

私は二度と出会うこともないかもしれない。

コンクールというものには失敗したが、その後世界的名声を築き上げたという例がない訳ではない。有名なところでは、エリザベス・コンクールに失敗したベネデッティ・ミケランジェリ、ラザール・ベルマン、ミッシェル・ベロフ、そして最近の例ではショパン・コンクール第二次予選にもれたイヴォ・ポゴレリッチといった例がある。

あの、ランダルをはじめとするいわば万能型ではない、しかし素晴しい才能に恵まれた若者たちの中から、未来のミケランジェリやベルマンが育つだろうか。そしてその特異な才能を発揮させられる場に十分恵まれるだろうか。そんなことをふと想像するとき、私は、人が人を選ぶコンクールというものの虚しさ、哀しさ、とでもいったような感情が、一瞬私の心の中深くを通り過ぎていくのを感じるのだった。

追記・一九八八年八月三十一日付けの読売新聞夕刊は「ソ連ピアニストまた西独亡命」として、「エストニア共和国出身のピアニスト、カレ・ランダル氏は夫人と二人の子供と共に西独に亡命を求めた。ランダル氏は『ペレストロイカの成果をソ連国内で待っていたら、自分の人生の大半は終ってしまうだろう』と述べた」と報道した。八二年のコンクールの表彰式のとき、ヴラセンコ教授が突然眼に涙を浮かべて私に、「ランダルはエストニア人でチャイコフスキー・コンクールに入賞した初めての人間なのだよ。

彼にとっても彼の国にとっても記念すべきことなのだ」と語っていたことを、私は思い浮かべた。

Ⅶ 女性ピアニストたち

23　「女性は台所にいるべきである」

日本の音楽学校で学んだ者が、欧米のコンセルヴァトワールなどに留学して最初に感銘を受けることの一つは、日本に比べて男子生徒の数が女子生徒より多いということだろう。多いだけでなく、女子よりも優秀な者が少なからずいる。ピアノを弾く男の子が女の子より多く、しかもうまいなんて……。

やや古い話で恐縮だが、例えば一九六〇年代の初め私が在学した桐朋学園高校音楽科では、男子生徒は一クラスにほんの二、三名。彼らが休み時間に野球をやりたくても人数が足りず、やむを得ず女子生徒に泣きつき拝み倒して参加して貰うことなど、しょっちゅうという有様だった。

しかも彼らの大部分は、楽器演奏の実技などでも女子生徒に常に圧倒されていて、教室では最後部の一隅に固まって、いるのかいないのかさながら日蔭の身といった状態を甘受していた（もっとも、私の親しい友人でもある彼らのためにつけ加えるならば、その後彼らは長ずるに及んでめきめきと頭角を現し、その多くがいまや世界的知名度をもつ音楽家として活躍している。ざっと数えただけでも、チェロの堤剛、バリトンの木村

俊光、指揮の尾高忠明、弦楽四重奏団として超一流の東京クワルテットなどなど、実に打率九割といった感じで世に出ている。その点、当時肩で風を切っていた女子生徒のその後は、何故かぐっと低調である)。

一九六三年、ニューヨークのジュリアード音楽院に留学した私が先ず驚いたことは、先ほど述べたように日本と違って女子生徒よりも男子生徒の方が多いということ、しかも数の面だけではなく実技の上でも、ピアノでもヴァイオリンでも圧倒的に男子生徒が優勢であった、ということである。これは、既に中学三年在学中に音楽コンクールで一位特賞を得、その後進学した桐朋高校音楽科では「日蔭の身」的な男子生徒などには目もくれず、女ばかりに囲まれ、しかもその中でもかなりのお山の大将になりかかっていた私にとっては、目からポロリと鱗が落ちるような事態であった。

もっとも、ジュリアードに限らず欧米の音楽院ではいったいに、日本よりはるかに男子生徒が多い。どうやら音楽学校に関する限り、日本は世界で最も女性解放の進んだ国であるらしい、などと言うと、やや皮肉めいて聞こえるであろうか。しかし実際のところヨーロッパが、女性音楽家というものに対しての差別や偏見を少なくとも教育制度の上で廃止したのは、意外にも比較的最近のことなのである。

ごく一般的かつ大雑把にいって、すべてが神とその宇宙に密接に結びついていた中世

以来、ヨーロッパ人にとって音楽とは宗教的尊厳（即ち神）そして世俗的尊厳（即ち君主）の象徴とみなされてきたものであり、要するに権力、男らしさ、英雄的なもの等々の象徴であった。周知のとおり、ルネッサンス以降そうした中世より続く価値観は大きく揺らぎ、とりわけ産業革命以降十九世紀には各分野における女性の進出、活動分野の拡大などが、自立する女、結婚しない女などの新しい風潮を生むと同時に社会全体にも大きな変化をもたらした。

しかし、音楽の分野においては、オペラの台頭による女性歌手の進出、女流ピアニストの出現など、女性音楽家の活動もないわけではなかったが、全体的には依然として音楽に象徴される男性的世界を、ヨーロッパの男性社会は女性の手に奪われることなく守り通したのである。クラシック音楽が大輪の花を咲かせ、コンサートというものが今日のような商業ベースにのって急激に裾野を広げた十九世紀後半においてさえも、音楽はもとよりそもそも芸術における女性の役割とは、あくまで天才であるところの男性（女性に天才はあり得ないとされていた）の創作意欲を刺激し、インスピレーションを与えるためのものであって、その立場が逆転することなど考えられなかった。女性が音楽家として唯一進出が公認されたのは声楽の分野だけであって、その他はあくまで女性らしさを養うための趣味、良家の子女としての花嫁修業の範疇に留められた（当時の代表的なプロの女流音楽家としてクララ・シューマンがいるが、彼女が当時の男性社会にあっ

て男性音楽家と対等に生きていくためには、現在の私たちには想像もつかないような苦難を味わわねばならなかった)。

当時、女性に向いている楽器とされたのは、ピアノ、ハープ、リュートなどで、フルートとなるとすでに男性は眉をひそめ、ヴァイオリン、チェロに至っては女性の優美さを積極的に醜くかつ滑稽にみせるもの、見苦しいものと分類された。チェロが女性向きではないといわれたのは何となく分るとして、今日のような女流ヴァイオリニストの隆盛を見ると、なぜ女性がヴァイオリンを弾くと見苦しく思えたのか理解に苦しむが、文献によれば「演奏しているときの腕や身体の動きやしかめっ面」のせいだとされている。よほど下手くそで醜い女性しか、ヴァイオリンを弾かなかったのだろうか。

ホルン、ファゴット、トランペット、ティンパニーといった楽器は、シンフォニーにおいて輝かしい権力やヒロイックな精神を象徴するための欠くべからざる存在であり、男性的楽器の典型であるとされており、決して女性が触れるものではないと明確に区別されていた。

こうしたものの見方の影響は、二十世紀に及んでもなおヨーロッパ社会には残っていたと思われる。十九世紀から二十世紀にかけて、多くの偏見や困難にもくじけることなくプロフェッショナルな音楽家として名を残した女流としては、例えばピアノではクラ

ラ・シューマンに始まり、テレサ・カレーニョ（彼女が一夜でブラームスの二つのピアノ協奏曲を軽々と弾きのけたときは、その演奏の内容についてよりも、「女だてらに」「男勝りに」といったほとんど嘲笑ともとれる批評を浴びなければならなかった）、アネット・エシポフ、さらにはマイラ・ヘス、マルグリット・ロンなどなど少なからぬ名を挙げることができるが、では女流ヴァイオリニスト、チェリストは、となると考え込んでしまう。

そういえば私が学生だった頃、アメリカにネルソヴァという女流チェリストがいて当時としては唯一の女流チェリストだった。そして、ネルソヴァというと何故か男性諸氏はニヤリとして「ああ、あの女のくせにチェロを弾く」というようなニュアンスの発言をするのだった。もっとも、現代はずい分変ってきているらしい。アメリカやカナダで後進の指導にもたずさわっているチェリストの堤剛氏によれば、なぜか世界的な傾向としていまやチェロ界は女性の方が数も多く、その活躍ぶりに男性の方が押されている現状なのであるという。

女性の名ヴァイオリニストも決していなかった訳ではないと聞くが、少なくとも今日まで例えばピアノにおけるクララ・シューマンのような位置で名を遺した人はいない。今世紀前半に活躍した女流ヴァイオリニストといっても、私などはエリカ・モリーニ、若くして飛行機事故で亡くなったジネット・ヌヴーくらいしか思い出すことができない。

またオーケストラに至っては、男性メンバーの多くは、女性がオーケストラに入ると楽団の権威や威信にかかわるとして、女性の入団には露骨な反感を示すのが通例であった。今日では、中小規模あるいは新興のオーケストラでは女性奏者をしめ出したら経営が成立しないほど女性奏者の数が増大しているが、しかし、依然として伝統ある大オーケストラは女性奏者の入団を暗黙のうちに制限しているのが実状である。

フォン・カラヤンが一九七九年にベルリン・フィルハーモニーと北京を訪れた際、記者会見で「なぜ、ベルリン・フィルには女性がいないのか」と訊かれ、「女性はオーケストラなどにいないで、台所にいるべきである」と答えたというのは名高い（？）エピソードである。その後女流クラリネット奏者ザビーネ・マイヤーのベルリン・フィル入団に際して大騒ぎが起ったことは、日本でもよく知られている。

日本や米国のオーケストラには、女性のコンサート・マスターや女性の管楽器奏者（なかにはチューバまで！）がいるところも珍しくはないが、これはヨーロッパに比べて相当に進歩的といえるだろう。女性奏者はピアノとハープだけ、という旧ヨーロッパ的「伝統」を守り通している読売日響という例外もあるけれど。もっとも、日本のあるオーケストラの事務局長がいみじくも洩らしたところによれば、女性奏者は入団二、三年で結婚し退団する一方、入団希望者は山のようにいるから、経営に四苦八苦している側にとってみれば、常に初任給程度で回転してくれるまことにエコノミカルな存在であ

る、ということになる。この辺りが、日本におけるクラシック音楽の「進歩的度合」の本音なのかも知れない。

ところで話は元に戻るが、こうしたヨーロッパ社会における音楽と「英雄・権力といった男らしさ」の結びつきは、今世紀半ばに及んでその極限に達することになる。ワーグナーの音楽と、ヒットラー・ナチスの結合がそれである。そして、そうした社会的背景の中にあっては、殊にドイツを中心とした世界では女性音楽家の価値や地位というものは、一九四〇年代に至っても基本的には十九世紀の頃となんら変ることはなかったのである。フォン・カラヤンの「女性は台所にいるべきである」という発言の背景は、おそらくこの辺りにあるのであろう。

24　マエストロ・スヴェトラーノフ

さて、第二次大戦後の音楽界を特徴づける音楽コンクールというものの世界を観察してみると、女性の著しい進出という現象に改めて目を見張らざるを得ない。特に中規模以下のコンクールにあっては、女性演奏家の一位入賞など少しも珍しいことではなくな

ってきた。

ところが、エリザベス・コンクール、チャイコフスキー・コンクールといった大型のコンクールとなると、ヴァイオリン、チェロなどの部門においてはいくつか例はあるが、少なくともピアノ部門に関する限り、女性の第一位というのは、現在に至るまで誕生していない。それはあたかも大オーケストラが、たとえどんなに男性より能力が優れていても、女性奏者の入団を拒否したりあるいは制限したりしていることと、どこか似通っている。

ショパン・コンクールにおいては、その課題曲が、ショパンに限られるという点で若干事情が異なるとも思うが、それでも一九四九年の第一位をポーランドのハリーナ・チェルニー＝ステファンスカとソ連のベラ・ダヴィドヴィチの、共に女流が分ち合ったのちは、一九六五年のマルタ・アルゲリッチだけである。

話は横道にそれるが、数年まえ私はモスクワで、ソヴィエト国立オーケストラの定期演奏会で常任指揮者のスヴェトラーノフ氏とラフマニノフのピアノ協奏曲第三番を演奏したことがあった。スヴェトラーノフ氏と彼のオーケストラとは、その前年日本で初めて協演してお互いに大変うまくいき、その結果定期演奏会に招かれる、という私から見るとごく自然の成行きだったのだが、ところがこれがモスクワの人々にとってはちょっ

とした音楽的事件であったことが、あとで分った。

理由の第一は、通常はソリストを一切使わないことで有名な「気難し屋」のスヴェトラーノフ氏が、ソリストを起用したプログラムで定期演奏会を催すということにあったが、これだけの理由なら、私はただ大変名誉なことであると喜ぶだけで終ったことだろう。問題は、その珍しくも起用されたソリストが女性で、しかも日本人（東洋人）であること、第三に、しかもその曲目があのラフマニノフのピアノ協奏曲第三番であるということ、つまりつなげて言うと、あのスヴェトラーノフが、なんと日本人女性をソリストに起用し、しかもあのラフマニノフの三番をやる、という形で事件が「ウッソー」「ホントー？」みたいに増幅された点にある。

実際のところ、終演後楽屋に駆けこんできたヴラセンコ教授やメルジャノフ教授を始めとするチャイコフスキー・コンクールの審査員仲間から、この演奏会の切符はあっという間に売り切れ、会場であるモスクワ音楽院大ホールは、興味津々の「音楽関係者」たちで超満員であったと聞かされて、私は最初なんでこのことがそんな「事件」なのか理解に苦しんだものだった。

話の要点は、要するにこれほど優秀なピアニストが多くいるモスクワでも、「女性ピアニストがスヴェトラーノフの指揮するソヴィエト国立オーケストラと協演する機会を得ることはまことに珍しく、また、ラフマニノフ第三番に至っては女性で前例を思い出

すことができないほど稀れである」ということにあったのだ。

確かに、このラフマニノフのピアノ協奏曲第三番は難曲である。恐らく、クラシックのピアノ作品のなかで最も難しい大曲の一つであろう。しかし、だからといって女性が弾かないわけではない。例えばやや古いけれど、イギリスの名女流ピアニスト、ムーラ・リンパニーは実に立派で美しいレコードを出しているし、先年亡くなったギリシアのジーナ・バックァウワー（昔、私は彼女がカーネギーホールで、ブラームスのパガニーニ変奏曲第一巻と第二巻、それにムソルグスキーの「展覧会の絵」という大プログラムでリサイタルをしたのを聴き、すっかり圧倒されたことがある。ホロヴィッツ顔負けというかんじだった）、スペインのアリシア・デ・ラローチャ、そしてマルタ・アルゲリッチなど、この曲を演奏する女流は決して少なくはない。

しかし、ピアノ音楽を国技の一つとし、ラフマニノフの母国であるソ連においてさえも、その第三番を女性が弾くということは、いまだに一つの事件の要素になり得る……、と私は改めて或る感慨を抱いたものだった。

話が横にそれついでに、このスヴェトラーノフ氏の「気難しさ」についての私の思い出を語ることにしよう。

エフゲニー・スヴェトラーノフとソヴィエト国立オーケストラというのは、一九六五

年以来コンビを組んでいる、文字通りソヴィエトにおけるナンバーワンの組合せである。オーケストラの歴史は五十年と新しいが、レニングラード派の芸術全般の衰退（フィルハーモニー、バレエ、音楽院などなど）、巨匠ムラヴィンスキーの高齢による事実上の引退などのために、この顔合せは現代のソ連を代表するものと、少なくともレニングラードを除くすべての人々から認められている。

さて、一九八四年に彼らの日本国内演奏旅行で初めて協演することになったとき、私は内外の関係者から、スヴェトラーノフ氏がいかに「暴君」で「むら気」で「独裁者」であるかの数々のエピソードを聞かされ、実際のところいささかうんざりしてしまっていた。これはソ連に限ったことではないかもしれないが、とにかくあちらでは大指揮者といえば「帝王」だの「独裁者」だのといった言葉がつきもので、実際にも「平等天国、日本」に生れ育った私たちには想像もつかないような「我が儘」が許されている。マエストロが「嫌だ」と拒絶したらおしまいで、たとえ文化大臣といえども彼の意思に逆らうことはできない。何人といえども「泣く子と指揮者」には、勝てない。

そして私は、その「暴君」たる指揮者のなかでも名うての「気難し屋」とこれから協演するというのに、まだ会ったこともなく、彼の若い頃の小さな写真しか見たことがなかった。

しかもなんとしたことか、東京での初リハーサルの当日、私はこともあろうに交通事

故渋滞に巻き込まれてしまい、オーケストラとのリハーサルに二十分も遅れてしまったのだ。

「これはひょっとして、『独裁者』は今頃、もう日本公演はやらない、とか、他のピアニストを用意せよ、とか、カンカンになっているかも知れないな」と私は憮然として、にっちもさっちも行かない首都高速道路の上で腕組みをしつつ、最悪の事態を想像した。日本とソ連の公演関係者たちが時計を見やりながらアタフタオロオロ、私の登場を待っている光景が目に浮かんだ。

さて、練習会場にたどりつくと、その入口のところに、地味な感じのオジサンが立っていた。きっと私の到着を待ち構えていたオーケストラの裏方さんだろう。お腹の出たブルージーンズにTシャツ姿で、いかにもオーケストラのインスペクター、あるいは楽器などを運搬したりセットしたりする裏方さんといった風体であった。あるいは、スヴェトラーノフ氏と共に旅行中何度か協演することになっている副指揮者かも知れない。

そのお腹の出たブルージーンズの一見裏方風オジサンは、私を出迎えて手をとると穏やかにたずねた。

「今すぐ休まないでも弾けますか。それともお茶でも飲みますか?」

「いいえ、大丈夫です」

「チャイコフスキーとラフマニノフ第二番のどちらから先に練習した方が、やりやすい

ですか？」

はははあ、指揮台にスコアを用意する係の人なのだな、と思いつつ、そのあたりでもう腹を据えていた私は、あっさりと答えた。

「どちらでも」

すると、ブルージーンズ氏は、そのまま先に立って歩いて行き、指揮台に上ったかと思うと、いきなりチャイコフスキーのピアノ協奏曲第一番の冒頭を振りおろした。

で、実はそれがかの「独裁者」スヴェトラーノフ氏その人に他ならなかったのだが、どこでどう思い違いをしてしまったのだろうか、私はリハーサルが終了する最後の最後まで、自分はアシスタントを相手に弾いている、とばかり思い込んでいたのだった。つまりそのくらい、初めて会ったスヴェトラーノフ氏は（約束時間に二十分も遅れて行ったにもかかわらず）穏やかでニコニコとさえしていて、とても「暴君」には見えなかったのである。

ところで、このスヴェトラーノフ氏との協演は、まことに楽しかった。彼の指揮のもとでは、チャイコフスキーやラフマニノフのピアノ協奏曲といった作品のオーケストラ伴奏部分までが、各自いきいきと自由にのびやかに解放されて、まるでオーケストラのメンバー全員がコンチェルトのソリストであるかのように、音楽を歌い上げて私を包んでくれた。しかも協演を重ねるごとに、その毎回毎回がいきいきと違っていて、私はコ

ンチェルトのなかで、チェロやフルートやオーボエやホルンやさまざまな奏者と、楽しい個人的な会話をしているような気分になった。

私はモスクワ・フィルハーモニーやレニングラード・フィルハーモニーなどとも協演したことがあるが、このソヴィエト国立オーケストラは、それらのどれともはっきりと違う実に重厚で甘い独特な響きをもっている。他の世界一級のオーケストラと比べても遜色がないばかりか、その地の底から湧き起るような豊かなピアニシモの美しさなどは、他の追随を許さない。

今年も五月半ばから、スヴェトラーノフ氏と彼のオーケストラが日本公演のために来日し、私もラフマニノフの第三番などを協演する。東京の交通事情は三年まえより更に悪化しているので、今回のリハーサルには、私は十分気をつけるつもりである。

さて、話を元に戻そう。

第二次大戦後、クラシック音楽の世界的な普及と大衆化の影響で、専門的訓練を受けた女性ピアニストの数は驚異的に増大したはずである。またさきに述べたように、そもそもヨーロッパでは女性にふさわしい楽器としてピアノをあげ、ふさわしくないものとしてヴァイオリンやチェロを指弾して、社会的に差別していた。即ちこういった流れから言うと、今日ピアノにおける女性の位置は非常に高くなっていて当然であろう。とこ

ろがそれが現代では、ヴァイオリンなどの楽器と比べても、その立場があたかも逆転してしまっているかのように見えるではないか。ラフマニノフの第三番に限ったことではない。ラフマニノフの第三番はいわばピアノの大曲の一つの象徴とでもいうべきものであって、ことは女性とピアノとの関わり合いすべてに波及する。要するに、ピアノはいつから「女性に向いている楽器」から、「女性には弾けない楽器」となってしまったのだろうか。それとも、「女性に向いている」というのは、男性の単なるお世辞だったのだろうか。

どうやら現実には、プロフェッショナルな女流ピアニストを囲む世界は、テレサ・カレーニョがブラームスのあの雄大なピアノ協奏曲を弾いた頃から大して変っていないのではあるまいか。そして私は、チャイコフスキー・コンクールにおいても、周囲の男性審査員諸氏の表情から、彼らのうちに流れる或る種の暗黙の諒解とでもいおうか、いじらしいまでにかたくなに思い込もうとしているある何かを嗅ぎとったように思うのである。

そして、今回オブザーバーとして私の後ろで傍聴していて親しくなったフィンランドの或る老音楽学者（彼は過去数回にわたってここのピアノ部門の審査員を務めたことがある）が、ユーゴスラヴィアからの女性コンテスタントがまるで娼婦のような服装で金髪をなびかせ全身をくねらせながら演奏し終るのを見つつ、私に背後からぼそっと「失

礼ではありますが、わしはやはり女性にピアノは無理と思っとるのです」などとつい洩らすのを聞くに及んで、なんとなく「ははあ」という気にさせられるのである。そして思い出されるのは、第二次予選において実に見事な演奏を披露した一人の女流ピアニストのことである。

25　ナタリア・トルルの場合

ソ連は、チャイコフスキー・コンクールも含むさまざまな内外の国際コンクールに、常に代表選手を送り込み、そして上位入賞を果す。彼らは通常一年ほども前から、そのための国内予選、代表を送る選考会などの審査を受け、そしてパスすると優勝を獲得するための万全の準備を課せられる。従って日本やアメリカのように「ツーリスト」が混るはずもなく、その人数はいつもほぼ四、五名、多くても六名ほどに絞られているのだが、一九八六年のチャイコフスキー・コンクールのピアノ部門には、なんと十一名のソ連代表が参加した。しかも、三十歳までという通常の年齢制限を三十二歳に引き上げてまで、イリーナ・プロトニコワとアレクサンダー・ツェリャコフの二人を加えてきたことは、ソ連が今回いかに「確実なソ連の優勝」を目指して万全の備えをしたかを十分に

うかがわせるものだった。プロトニコワはシドニー国際コンクールの第一位、ツェリャコフは日本の岡田博美氏が第一位に選ばれたときの東京国際コンクールの第四位入賞者なのである。

事実、この十一名はそれぞれ第一次予選でレヴェルの高い演奏を行ったので、全員文句なく第二次予選へと進むことになったが、この喜ぶべきことは逆にソ連の審査員に頭を抱えさせる事態を引き起すこととなった。即ち、もしこの十一名全員が更に第二次予選で水準の高い演奏を行ったら、当然みな本選へと進むことになる。ところが本選の出場者は十二名と限られており、もしそのうちの十一名をソ連が占拠してしまったら、これは国際コンクールどころかソ連の国内コンクールとなってしまう。それ故第二次審査では、仮に他の外国人コンテスタントより良い演奏をしても、十一名中の半分ぐらいは涙を呑んで落とさねばならないであろう、という訳である。入れるのは誰か、落とすのは誰か。第二次審査が進み後半の残りが少なくなってくると、もうソ連の審査員は、暇さえあれば十一名のリストを眺め、点数表を見比べつつ溜息をつく有様だった。

この十一名は、上はプロトニコワやツェリャコフのような三十二歳の大人から、下は下限年齢制限にようやく達したばかりの十七歳のスルタノフ少年まで、一人を除いてあとは全員モスクワ音楽院系のピアニストであった（チャイコフスキー・コンクール・ピアノ部門のソ連審査員は、いまや全員モスクワ音楽院の教授で固められている）。

このうち女性は三人、三十二歳のプロトニコワと、二十五歳でモントリオールのコンクール第三位入賞者、というよりも、名ヴァイオリニスト、ワレリー・クリモフの愛娘でチャイコフスキー・コンクール優勝者であるピアニスト、アンドレイ・ガブリーロフの最初の結婚相手だったタチアナ・クリモワ、そして唯一のレニングラード音楽院出身者でブダペストのリスト・コンクールで優勝した三十歳のナタリア・トルルの三人である。

男性八人、女性三人の十一名は全員、既に内外のコンクールで優勝あるいは上位入賞を果しており、そういう代表をこれほど多くとり揃えたことはソ連でも前代未聞のことであっただろう。しかし、にもかかわらず、結果からいえば男性八人はその大きな期待に報いることはできなかった。彼らは優勝を逃したのみならず、そのソ連音楽文化と教育の威信を、辛うじて女性二人の力にすがることとなった。即ち、英国人男性バリー・ダグラスと優勝を競い合ったのはトルルとプロトニコワだったのである。ソ連代表のなかで、女性がトップを占める。これも、チャイコフスキー・コンクール・ピアノ部門においては、前代未聞の出来事だったに違いない。

ところで、第二位の栄冠を得た三十歳のナタリア・トルルのことを思うと、私の心には今でも何かかすかな痛みのようなものが走る。

第一次予選の三日目の朝、彼女が初めてステージに登場したとき、私の両隣の男性審査員二人は突然もじもじし始め、幾度となく私の方に何かささやきかけては口をつぐむという、奇妙にして微妙なる反応を示したのであった。それがいかなる理由からだったのか、彼らが私に何をささやこうとしていたのか。それを知って以来、私の心の痛みは始まったのである。

第一次予選では、トルルは極度にあがっているように見え、演奏もそのためかさほど印象に残るようなものではなかった。ところが、第二次予選では打って変って充実した演奏をみせ、しかも尻上りに良くなっていき、五十分を越す大プログラムを終えたときには、恐らくこれは彼女の畢生の名演であったに違いないと聴く側が思うほど、説得力のあるものとなった。

殊にプログラムの一曲目、シューベルトのソナタ遺作・イ長調で見せた音色の透明感、艶やかな優しさと、そして彼女自身の極めてストイックな容姿容貌にどこか似合った一抹の哀しさ。またそれに対して、プログラムを締めくくったストラヴィンスキーの「ペトルーシュカ」で披露したテンペラメント溢れる多彩で華麗な技巧。黒一色の喪服のようなロングドレスのため、ただでさえ少年のように痩せて青ざめた姿がより一層痛々しくさえ見えるのとは対照的に、彼女の演奏は思いがけないほどのたくましさを備えていた。彼女はここで、フォルティシモからピアニシモに至るまでいささかの乱れもみせず、

この難曲を弾き切った。それは、音楽性のうえからも技巧のうえからも、コンクールの期間中に私たちが耳にした演奏のなかで文句なくトップクラスに入るものであった。私の個人的嗜好からいえば、バリー・ダグラスのアグレッシヴな演奏よりも、このナタリア・トルルの方をとる。しかし、何故か私の周囲の男性審査員諸氏からは、またもじもじとした奇妙にして微妙な雰囲気が立ちこめるのであった。彼らはひそひそと耳打ちをし、くすくすと笑いかけるのを圧し殺す。

「彼女は、素晴しい演奏をしましたね」

と突如、スペインのアロンソ氏が私に話しかけてきた。

「ところであなたは、子供の頃ドラキュラの映画なんぞを観た記憶がありますか」

コンクールの最中にドラキュラとは、と私は一瞬とまどったが、たちまちにしてその意味を察して（私としてはまことに慚愧にたえないが）思わず吹き出してしまった。アロンソ氏は、その私の笑いに打ちとけて、でもまだどこか遠慮がちにどもりながら続けた。

「実は、その、なんというか、もしドラキュラ伯爵に妹がいたとしたら、恐らくは、ナタリア・トルルのような……」

「いやあ、ババヤーガじゃないかね」

と、今までしんとしていたブルガリアのガネフ教授が、突然横から真面目な顔で割り

込んできた。ババヤーガとは、ムソルグスキーの「展覧会の絵」に登場する、鶏の足の上の小屋に住んで死人を食べて生きているという伝説の魔女のことだ。

……こんなことを話すのは、チャイコフスキー・コンクールの権威にもかかわるかも知れない。少なくとも演奏と演奏の合間の、緊張の弛んだいっときに、世の男性たちが仲間うちで口にする他愛もない雑談のひとつとして、聴き流すべき話であろう。と思いつつ、どこかしら私がひっかかるのは何故なのだろう。私も女性であるためだろうか。

ナタリア・トルルの第二次予選における演奏は、今も述べたように、恐らく彼女自身の生涯でもそう何度とは起らないであろうような、すみずみまで気力が充実した良い演奏であった。でも言いかえると、あれが彼女の限界、というような受止め方も審査員によってはあったかもしれない。何故なら、コンクールというものがそもそも無名の新人に演奏会のチャンスを与えるためにある以上、多少未完でも将来性を感じさせる才能というものが必要になってくるからである。堅実で音楽的才能はあるが既に三十歳となっている女性、しかもハイネックの長袖の黒いブラウスにぴっちりと身を包んだ、まるで修道女のような雰囲気のトルルと、やや雑ではあるがタフな男っぽい音楽を作る二十六歳の、しかもなかなかスター性のありそうな男性ダグラスと、どちらが現実に将来性があるだろうか。そういう問いかけが、審査員、殊に男性諸氏の胸のどこかをかすめ、かつそれがトルルにとって不利な結論をもたらさなかったとは言い切れない。

確かに、ピアニストが多くの聴衆を前に演奏する存在である限り、その音楽の魅力は、そのピアニストの容姿や雰囲気といったものと切り離して考えることは不自然であろう。そしてこの場合、「特に女性の場合には」という決まり文句がいまだにつきものなのも自然なことなのかもしれない。それは何も審査員たる男性の責任ではない。考えてみれば、私たちの生きるこの社会の現実そのものがそうなのではなかろうか。改めて眺めれば、ピアニストに限らずすべての状況において、女性たち、そして時には男性たちにおいても……。しかし、それにしても、と、私はまだ胸のうずきを抑えることができない。

これは後日譚となるが、入賞発表後、アロンソ氏と私は女らしい花柄のドレスを着たナタリアと出会う機会があった。平服の彼女はステージとは違ってババヤーガどころかむしろ可愛らしい人であったことにアロンソ氏はいたく驚き、今でも彼は会う度に私に「あのナターシャのことを悪くいったことを思い出すと、心が痛む」と繰り返す。

さて、かつて私は第II章「神童からコンクールの時代へ」の中で、二十世紀も余すところわずか十数年となった今日、音楽において二十世紀とは「国際コンクールの時代」であった、という見方も成り立つと述べた。また、二十世紀後半の音楽状況を特徴づけるものとして、その他にも「非本場人」たちをも含めた「多国籍化」、男性の減少に対する女性の増加などが考えられるだろう、と指摘した。

男性が好むと好まざるとにかかわらず、音楽の世界、殊に演奏分野には、女性の影響力がますます増大していくことは確実であろう。そしてそれが、音楽が二十一世紀にはどう変化し、あるいはどう発展をみせていくかの、重要な鍵となるのではあるまいか。

チャイコフスキー・コンクールも今世紀あと三回を残すのみとなった。二十世紀における最後のチャイコフスキー・コンクールが一九九八年に行われる頃には、女性の第一位も誕生しているかも知れない。しかし、それまでに何人のナタリア・トルルが登場し、そして消えていくことであろうか。

VIII

「ハイ・フィンガー」と日本のピアニズム

26　第二次予選の審査

さて、六月二十一日から始まった第二次予選は、丸六日間にわたる熱戦のすえ、二十六日の夜に終了した。

ここで演奏者の内訳を詳しく書くと、ソ連の十一名全員を筆頭に、アメリカ四名、日本とフランスが各三名、西独、ベルギー、ユーゴスラヴィア、ブルガリアが各二名、そしてイギリス、キューバ、チェコスロヴァキア、中国、スイス、ポーランド、シリア、フィンランド、イタリア、東独からそれぞれ一名ずつということになる。

先にも述べたがコンクールというのは、よほど例外的にずば抜けた才能の持主がいるときは別として、そうでない場合は、予選だけではなく最後の本選におけるコンチェルトの演奏を聴くまでは、何が起るか分らない。今回も、第一次予選で聴いて以来私が密かに期待を寄せていたベルギーと西独のコンテスタントたちは、第二次予選において全くの不調に終って私たちを失望させたし、同じく楽しみにしていたソ連のバタゴフも音にのびがなくやや期待はずれの感があった。とはいえ、少なくとも他の第二次合格者たち、キューバやブルガリアのコンテスタントたちよりははるかに完成密度の高い演奏で

あったのだが、極めて冷淡にはねられてしまったのである。

フランス人三名のうちの一人は、「美少女ピアニスト」ということで、この春日本の写真週刊誌などのグラビアを賑わしたイレーヌ・グリモーという、まだ十七歳になったばかりの初々しい少女であった。彼女はこうした重苦しいコンクールの舞台などよりも、麦わら帽子をかぶってヒナゲシの乱れ咲く草原にでも立っている方がずっとふさわしいような子供こどもした愛らしさで、ステージへの登場にも思わず無邪気にスキップをしてしまったりして、老審査員たちの微笑を誘った。

彼女の先生で今回フランスからの審査員でもあるパリ・コンセルヴァトワールのジャック・ルビエ教授によれば、まだピアノを習い始めてから八年しかたっていないとのことだったが、とてもそうとは思えないほど流麗な技術と自然な音楽をもっている。彼女はまだ三十代の若いルビエ先生に夢中で、そのためにモスクワまで追いかけてきてしまったのだと、もてもてのルビエ氏は嬉しそうな照れ臭そうな、まんざらでもない様子であった。第二次予選を通過することができなかったのは、現在の彼女のあまりにも幼い実力からいえば仕方がなかったことかも知れないが、春風のようなイレーヌの登場は、コンクールの中の一服の清涼剤だった。

さて、第一次予選を聴いて期待をかけた若者がその期待を裏切って崩れるいっぽうで

は、第二次予選になって別人のように調子を出してきた者もいる。イギリスのバリー・ダグラスもその典型的な一人である。

彼は実は、前回つまり一九八二年の第七回チャイコフスキー・コンクールも受けているのだが、私は全くそのことを記憶していなかった。いまその時の私のメモをひっくり返してみると、「まるでカウボーイが馬に乗っているみたいに上半身を反らして演奏。大男、総身に神経が廻りかねるといったかんじで、何を弾いても雑で荒っぽく極めて大味。『アパッショナータ』が、こんなに退屈で長く感じられたことはない。チャイコフスキーの愛すべき小品『秋の歌』を（これは、もの悲しくしみじみとした味わいのロマンティックな曲なのだが）なんたる無神経な大きな音で弾いたことか。しかもあまり表情が大袈裟かつそれが不自然なので、思わず笑ってしまったほどである」と、まあ散々である。当然のこととして、彼はこのときは第一次予選で落ちてしまった。

しかし今回は、四年前とは比較にならないほどの技術的余裕と熟成度をみせた。殊に、第二次予選でプログラムの最後（そして、その夜の最後にも当っていた）に弾いたムソルグスキーの「展覧会の絵」は名演であった。第一次予選で聴いたバタゴフのバッハを私は、「複雑に重なりあう音の層を、あれほどの清澄さと構成感をもって弾き分けたコンテスタントは、他にいない」と述べたが、このダグラスのムソルグスキーも音楽や個性こそ違うが、そのバタゴフのバッハに匹敵するものだった。会場はコンクール始まっ

て以来の拍手大喝采となり、その騒ぎは審査員たちが退席したあとも、深夜十五分余りにわたって続くこととなった。この時の彼の演奏は、第一次予選のみならず、本選でのコンチェルトの萎縮して凡庸な演奏ぶりよりもはるかに白熱したよいものであったから、結果的にいうならばバリー・ダグラスは、このムソルグスキーで優勝を手に入れたにも等しい、とも言える。

この第二次予選の結果は、二十六日の夜に発表された。本選への出場者十二名は、平均点二十五点満点の成績順に上からとることになる。第一次予選では四番目、二〇・二二点につけていたバリー・ダグラスは、ここに及んで一躍トップに躍り出た。二二・九五点である。次いで、ソ連のイリーナ・プロトニコワの二一・九〇点（彼女は第一次では二一・四七点で二番だった）、それを追って同じくソ連のナタリア・トルルが二〇・八二点（第一次は一九・六五点で六番目）、以下ロドリゲス（キューバ）、ウォルフラム（米国）、ムラロ（フランス）、ツェリャコフ（ソ連）、コン・シャントン（中国）、アルダシェフ（チェコ）、エロヒン（ソ連）、ブッフネル（米国）、クルシェフ（ブルガリア）となって、十二番目のクルシェフの得点は一九・二三点（第一次では一八・五六点で同じく十二番目）、十三番目のソ連のピサーレフ（一九・二二点）との差は、実にわずか〇・〇一に過ぎなかった。

そして、そこからピサーレフ以下ソ連のピアニストが六人目白押しに続き、一応当落のボーダーラインとされている十八点に至るまで、なんと十一人もが文字通り数珠つなぎとなっていたのである。ということは、少なくとも審査員たちは、これら二十三人のピアニストに関する限り、その演奏を「本選へ進出するに十分な出来」と評価していたことになる。そして私の個人的見解を述べるならば、実際のところ四番目のロドリゲスとちょうど二十三番目となった岡田博美氏との間には、順位で表現されるほどの差はなかったのであった。

27 実によく弾くのだが

さて話は前後するが、第二次予選に出場した三名の日本人ピアニストたち——岡田博美、小川典子、田中修二の三氏は、恐らくはそれぞれのベストと思われる充実した演奏ぶりを披露してみせたものの、本選への十二名のなかに喰い込むことはできなかった。なかでも岡田博美氏と小川典子さんの二人は、共に十八点台に入っていたのであるから、誠に残念に思われた。共に実によく弾いた、にもかかわらずだからである。

実際よく弾く、言いかえると少なくとも「ミスを犯さずに速く弾く」という点では、

彼らは本選出場の十二人のなかの例えばロドリゲス、ムラロ、アルダシェフやウォルフラムなどなどよりもはるかに達者であった。にもかかわらず、落ちてしまった。

岡田博美氏は二十八歳、既にロンドンを中心に演奏活動を始めている日本の俊英であった。桐朋学園の音楽科在学中に日本音楽コンクールに優勝したが、当時からそのミスのない演奏ぶりは周囲をして「コンピュータ」といわしめたほどだった。彼は東京国際ピアノコンクールで第一位を得たが、今回ソ連代表の一人であるツェリャコフはその時、第四位に甘んじることとなり、その判定にソ連が大きく反撥したという後味の悪いエピソードが残っている。

そしてその時審査員に加わっていたのが、ツェリャコフの先生であるドレンスキー教授で、そうした背景もあったせいだろう、「コンピュータ・ピアニスト」というニックネームは、コンクールの始まる前から既にモスクワでは噂にのぼっていた。それが彼にとって、幸いであったかどうかは分らない。しかしいずれにせよ審査員たちは、あのエリザベス・コンクール一位のヴォロンダが出てきた時のように身を乗り出して、岡田氏の「コンピュータ」ぶりを待ち受けたのだった。

第二次予選では、彼は難曲として知られるブラームスの「パガニーニの主題による変奏曲」の第一巻と第二巻を続けて演奏した。それは確かに「妙技」であった。彼が一ヵ

所はっきりと音をかすったときは、私の周囲の審査員たちは「残念!」と嘆声を洩らしたほどであった、ややクリティカルなニュアンスと共に。「これは全く新世界のブラームスだ」と或るロシア人審査員は評したが、私はそうした批判を黙って聞きながら、改めてコンクールというものの難しさ、その演奏が歓迎されるか拒絶反応を受けるかは実に紙一重のきわどい何か(それは時には外見上の感じ良さ、などという演奏とは関わりのないことであったりもする)によって左右されるということを痛切に感じたのであった。

私自身の個人的感想からいえば、他者との比較からいっても岡田氏は少なくとも第二次予選は受かってしかるべき内容を備えていた。

確かに岡田氏の演奏は、「コンセルヴァトワール」流にいえばロマン派的振幅が小さく、音もきゃしゃで平板で単色であり、感情が率直に伝わってこない、と批判はできるだろう。しかし彼の繰り広げた演奏が、「これは我々の言うところの音楽ではない」と一言のもとに斬って捨てるのを彼らに躊躇させるような、或る完成度をもっていたのも事実だった。これは審査する側からみれば、一種の踏み絵であった。どちらをとるかによって、その審査員自身の価値観が決定されてしまう。彼らは内心当惑し、あたりをうかがい、そして結局、無難な選択をした。岡田氏を否定したのである。そして、彼の落選が判明すると、私のところにやってきて口々に「残念だった」と惜しむのであった!

第二次予選で演奏した日本人のなかで唯一人の女性でもある小川典子さんもまた、堂堂と安定した技術を披瀝した。彼女は、例えばリストのソナタのような大曲も骨太な手応えで弾き切り、この曲に関しては何故かひどく口うるさい人の揃った今回の審査員たちのあいだでも、好意的に受け止められた。これに加えてさらに弱音域の広さと多彩さ、明に対する暗の部分においての心理的な襞の濃やかさ、などの文学的感受性とでもいうものが備わっていたならと惜しまれた。

もう一人の男性田中修二氏の特徴は、何よりも先ず生れながらの美しくのびやかで明るい音質に恵まれている点にあった。こうした要素は、ほぼ同じ条件のもとで聴き比べられるコンクールの場にあっては、基本的に大変有利なこととなる。事実、田中氏の演奏は第一次予選のときから、他の日本人ピアニストたちに比べて、音ののびの点では際立って印象づけられていた。ただ、音楽の構成がやや平板で全体にフォルテの多さが気になったのは残念だった。レガートもうわずっていたので、多分とてもあがってしまったのかも知れない。通常、人はあがると音が大きくなるものであるから。そして田中氏の演奏には例の「ハイ・フィンガー」奏法の影響がどうも少し残っていて、そのことが結局のところ、彼自身の率直な表現を妨げているような印象をもたらした。

そしてこのことは、多かれ少なかれ他の二人についても言えた。もしこうした所が今

後改善されたら、彼らの演奏の魅力は飛躍的に拡大されるに違いない。

28　日本的演奏

ここで再び説明を繰り返すことになるが、この「ハイ・フィンガー」奏法とは――べつにこうはっきりした名称のもとに日本で教えられていた訳ではないので、とりあえず話を進める上での便宜上こう呼ぶことにするが――手首を比較的低目に固く保ち、指先を丸く曲げて爪先を鍵盤にほとんど直角に近いような角度で、しかも鍵盤から高く上げて弾き下す奏法のことである。そして力は手首でなく、主としてひじを使って抜く。

これは、メソッドとしては大変に古い型で、バッハの時代のクラヴィコードの奏法にも似ているし、十九世紀末ドイツで流行した奏法にも似ている。はっきりといえることは、指先と鍵盤との関係が常に「ま上」からのものであるので、響きがポッポッと固く、柔らかで甘い艶のある音色を作り出すことができず、殊にロマン派以降の作品を表現するには、全く適していないということだ。しかし、指と指の間の筋肉を鍛え、その一本一本の自立をうながす一種の訓練法としてはなかなか効果があって、いわばボクサーが毎日ジョギングをしてフットワークを鍛えるような意味においては価値があった。

即ちこうした、まるで背筋をピンとのばし大きく口を開けて大声でアイウエオと発声練習をするかのような奏法は、非音楽的ではあったけれども他方では、特に子供たちが「しっかり」と手先の筋肉を鍛え、「バリバリ」弾けるようになるには手っとり早い、という利点があった。そして事実、昭和三十年代四十年代頃の日本の音楽コンクール及び学生コンクールでは、毎年の上位入賞は、この奏法による教育を徹底的に行った井口基成・秋子氏夫妻、基成氏令妹の愛子氏などいわゆる「井口派」の門弟たちによって占められるほどの「成果」をみせた。私もその一人である。

これは私自身の経験から言うのだが、この奏法で弾くと、音質はチマチマとしていて綺麗ではないけれども、その一方では、そこにいわば日本人好みの生真面目さやストイシズムのようなものが感じられて、弾く方はもちろんのこと恐らくは聴く方も、なんだかひどくガンバッテル気分にさせられるのだった。出てくる音の表情は多彩ではないのに、弾いている姿はひどく熱演ぽく、歯をくいしばっているような感じになる。

しかし問題は、そうした奏法で厳格に子供時代を鍛えられてしまった者が、成長してからもなおハノンやチェルニーを「バリバリ」弾くのと同じ調子で、ロマン派以降の成熟した作品から現代作品に到るまでを弾いてしまうところにあった(念のために付け加えるならば、だからといってこの奏法が古典派音楽に適していた、という訳でもない)。奏法が単一ならば出てくる響きも単一であり、多少の個人差はあっても基本的には同じ

ような性格の音質となる。

そしてまた、強い自我に目覚めた子供たちが、仮に自分の音に疑問を抱き悩んだとしても、それを率直にぶつけるには既に日本古来の「家元制度」を思わせるような精神的土壌が、ここでは障害となった、ということもあるだろう。

こうした奏法は、「井口派」のみならず、日本の他の系統のピアニストたちの間においても多かれ少なかれ見受けられるものだったが、もちろんそういった流れがすべてではなく、これに全く関りのない、実に流麗で自然なメソッドを備えた演奏家もいた。例えばパリで早期教育を受けられた安川加寿子氏などはその代表的な存在で、恐らくこのようにバランスのとれた美しい本当に音楽と結びついた技術を持ったピアニストは、当時の日本では空前絶後であったことだろう。

しかし考えてみれば、こうして「ハイ・フィンガー」で私たちが「まるでタイプライターを叩くように」弾きまくっていたのは、もうずいぶん昔のことである。この間に日本は、想像を絶するほど変化した。いわゆる発展途上国から経済大国へとなって、ここ近年は音楽市場としての日本はいまや世界で一、二を競うほどの隆盛をみせるようになった。超一流の演奏家たちが次々に招聘され、N響などの定期演奏会や邦人の演奏会などが行われている同じ夜に、ドミンゴとメトロポリタン歌劇団が華やかなステージを繰

り広げ、リヒテルがベートーヴェンのソナタを弾き、シノーポリがマーラーを振る、などという事態が、もはや東京の聴衆にとっては少しも珍しいものではなくなった。東京では、あのサントリー・ホールが登場するずっと以前から、一夜で十二、三種類ものクラシック・コンサートが開催されていることもあった。ニューヨークやロンドン並みである。

またジャルパックに象徴される海外旅行は、音楽学生にとっても手軽な存在となり、夏休みともなれば欧米各地で開かれている音楽祭や一流演奏家によるマスタークラス参加のツアーなどが、大繁盛することとなって久しい。こうした日本の「有史以来」の新環境の中で生れ育った若者たちは、私たちの世代よりもはるかに多種多様なピアニズムの生きたものにじかに触れ、贅沢に味わい楽しみ、そしてそれによって実にさまざまなことを学び得たはずであるし、実際にその成果も現れていると思うのは、必ずしも私のひいき目ではない。

ところが、国際的なコンクールなどの場では何故か今でも依然として、日本人のピアニストといえば「一つのミスもなく平然と演奏するが、機械のように無表情である」「きちんと弾くが、個性に乏しい」といった評判を耳にする。今回のチャイコフスキー・コンクールにおいても、善戦した岡田氏や小川さんに対して、むしろ予想以上に厳しく醒めた反応があったのも、このような先入観によるところがあるのではないかと思

われる。こうした印象は、ワーカホリックでエコノミック・アニマルとされる例の日本人の既成流通イメージと重なって、一般論としては何やらもっともらしい説得力さえ帯びてくる感じがある。そしてコンクールの場で私が一番つらくもの思いに沈むのは、実にこの点に他ならない。

これは、日本人の西洋音楽に対する基本的な感受性の有無に関することなのであろうか。それとも、知性や感受性といったものを論議する以前の、ごく具体的にいって「表現技術」に類する問題なのであろうか。

29　丸暗記主義と熱演と

この五月に日本国内をソヴィエト国立オーケストラと旅行した折、指揮者のスヴェトラーノフ氏との雑談で、私が、

「日本に西洋のクラシック音楽の教育制度ができてから、まだ百年ちょっと」

と言ったところ、

「それでは、わが国と大して変りませんね」

と相槌を打たれて、一瞬虚を突かれたような気持になった。

モスクワ音楽院が創立されたのは一八六六年であるが、国立となったのは一九〇一年になってからのことである。ヨーロッパで最も古いコンセルヴァトワールの記録には一五三七年ナポリ近郊のものがあるが、パリが一七九五年の創立、ウィーンが一八一七年といったように、西欧では主だったコンセルヴァトワールはほとんどみな、十九世紀の前半までに設立された。それに比べれば、モスクワはむしろ音楽的には後進国であったと言えるだろう。

一方、日本における最初の西洋音楽教育機関は、一八七九年（明治十二年）に「東京音楽取調所」という名称で開設された。これはその後一八八七年に「東京音楽学校」となって、今日の東京芸術大学の基盤を作った。今年一九八七年でちょうど創立百周年となる。当時も今も日本にただ一つの国立音楽学校である。

もしこの東京音楽取調所を「コンセルヴァトワール」と考えるならば、確かに日本もソ連もそのクラシック音楽の国家的教育制度が誕生したのは、ほぼ同時代ということになろう。問題は、ここで改めて言うまでもなく、その設立の基盤となった社会の音楽的背景が全く異なっていたという点にある。

モスクワ音楽院誕生の動機の一つとなったのは、「才能豊かな貧しい若者たちにただでレッスンを」というものであったと聞くが、西欧より遅れていたとはいえ、古くはギリシア正教の宗教歌や民俗音楽に端を発し、十八世紀ピョートル大帝によって西欧に文

明開化したロシアには、すでに十九世紀に入るとグリンカ、チャイコフスキーなどのロシア・ロマン派の豊かな音楽が花開いていた。

それに対して日本では、わずかに宮内庁の軍楽隊程度の西洋音楽的下地しかないところに、突如として明治政府が近代国家路線に乗って、西洋の学校教育模倣の一つとして西洋音楽学校を建ててしまったのである。もともとロシアと比較すること自体ナンセンスであって、むしろ日本の文明開化のエネルギーに感嘆すべきであろうが、しかし、事実を追ってみると、なにしろ周囲に西洋クラシック音楽の雰囲気が全くないから、音楽学校を建てても、初めからピアノが弾ける生徒など入学してくるはずがない。バイエルやチェルニーといった極めて初歩的段階の教材中心の状態が、驚くほど長い間続いたといわれる。

日本においては現在でも依然として、ピアノの初歩教育に先ずバイエル、チェルニーなどをとり上げる傾向が残っていて、私自身もそこから入門した子供の一人であったのだが、どうやら日本におけるピアノ教育の「マニュアル」とでもいうべきものは、結局のところここら辺りをその原点として、案外一般的には今でもそのままに受け継がれてきているのではないかという気がする。

その当時の日本人にピアノ演奏の基本を教えたのはわずかな外国人音楽家たちであっ

たが、それらの人々がモスクワ音楽院などの大ヴィルチュオーゾ教授陣と比べて、質の点で落ちるのは言うまでもないことであった。

ここにその頃の日本の音楽教育の成果の一つであり、明治・大正を代表するピアニストとされていた久野ひさ子女史の演奏ぶりを伝える明治十六年生れの音楽学者、田辺尚雄氏の回想があるので引用しよう。

「久野ひさ子というピアノ科の学生は、背が低くしかも片足が悪く、別に美人というような女ではなくて、その点では柴田（三浦）環とは霄壌の差があったが、しかし彼女がピアノを前に坐して、激しく頭を前後に振り動かしつつ、物すごい腕の力をもって鍵盤を打っている姿は、言いしれぬ魅力を感ぜしめ、芸の力と一種の性的魅力とは、また満都の青年をひきつけずには置かなかった。……激しい頭部の揺動は遂に曲の途中で彼女の束髪は解けて肩にかかり、一輪の花かんざしは飛んでステージに散乱したその瞬間、聴衆を昂奮の最高潮に達せしめた……」（『明治音楽物語』）

この文章を読むと、リストやブラームスの大曲でも弾いていたのかと思うが、それがなんとクレメンティのソナタであったというのだから、考えさせられてしまうと同時になにかつらくなる。恐らく弾く方も聴く方も、クレメンティのソナタとはどういうものであるのか想像もつかなかったのであろう。この久野ひさ子女史は、その後文部省留学生としてウィーンに行き、そののち謎の投身自殺をとげてしまった。

率直にいって、この久野ひさ子女史の激しい演奏ぶりと、それをまた「熱演」と錯覚する傾向は、私がピアノを学び始めた昭和二十年代に至っても、例えば井口基成氏の演奏ぶりなどに脈々として受け継がれてきたように思われる。戦後桐朋学園音楽科を興し、多くの門弟を育て上げてきた井口氏の業績については、ここで改めて言うまでもない。また井口基成氏の演奏についても、現在も記憶に留めておられる方が少なくはないと思われるので詳しいことは略するが、その演奏ぶりを伝えるエピソードとして最も典型的なものは、「あまり激しくピアノを叩くので、弦はおろか、ピアノの足、果ては椅子の足まで折れてしまう」「熱演のあまり、椅子から床にずっこけてしまった」といった類いのものだった。多分、氏の熱演をおもしろおかしく誇張したものもあったと思うが、しかしそのくらい、印象的であったのだろう。

音楽評論家の野村光一氏の回想によれば、井口氏は高折宮次氏の高弟で、その高折宮次氏は大正の初めに来日したショルツの高弟であった。このショルツというピアニストはベルリン高等音楽院を出たばかりの当時二十四歳の若者で、恐らくまだ未完成な、しかもあまり音楽的才能のない音楽家であったと思われる。野村氏によれば「ただガンガンとして物凄く、その高弟の高折宮次氏の音もまたまるで鉄槌で叩くような音であったから（井口氏の演奏ぶりも）いかに音が汚なくても平気だという感じだったわけだ」

（野村光一、中島健蔵、三善清達『日本洋楽外史』）ということになる。

有史以来の日本の精神的伝統である舶来礼讃主義、そしてその舶来文化を受け入れる際の一種の教養主義が、国家の文明開化政策と結びつくという形で、忽然といわば人工的に生れた日本の「西洋音楽」。その結果なんら芸術的感動を伴った優れた生演奏に触れ得る機会もないまま、とにかく先ずは指を動かすことに専念しなければならなかった現実。加えて、とにかくそのピアニズムの「マニュアル」そのものが、二流三流のものであったこと。

この日本人の舶来文化に対するナイーヴで従順で勤勉な態度とその教養主義が、具体的な学習法として、よく言えばキマジメ悪く言うと無味乾燥な「丸暗記主義」に結びつくことは何もピアノに限った話ではないだろう。日本人が或る外来文化を受容する際の典型としてのこの「丸暗記主義」は、短時間でその外来文化に或る水準まで追いつけるという利点がある一方で、独特の弊害も生み出す。「ハイ・フィンガー」奏法に象徴される日本のピアニズムなど、まさにこの「丸暗記主義」のクラシック音楽における顕著なあらわれ、と言い換えることもできるのではないだろうか。

30　日本人にもピアノは弾けるのだろうか

「十一月もそろそろ末にならうとしてゐる或晩、成瀬（正一）と二人で帝劇のフイル・ハアモニイ会を聞きに行つた。行つたら、向うで我々と同じく制服を著た久米（正雄）に遇つた。その頃自分は、我々の中で一番音楽通だつた。……が、その自分も無暗に、音楽会を聞いて歩いただけで、鑑賞は元より、了解する事も頗怪しかつた。先一番よくわかるものは、リストに止めをさしてゐた。（……）リストが精々行きどまりで、ベエトオフエンなどと云ふ代物は、好いと思へば好いやうだし、悪いと思へば悪いやうだし、更に見当がつかなかつた。だから、フイル・ハアモニイ会を聞くと云つても、一向芸術家らしくない、怪しげな耳をそば立てて、楽器の森から吹いて来るオオケストラの風の音を、漫然と聞いてゐたのである」

これは芥川龍之介が大正七年に書いた「あの頃の自分の事」という短篇の一節である。多分、芥川が東京帝国大学英文科に入学して、成瀬正一、久米正雄、山本有三などと共に第三次『新思潮』を発刊した、大正三年の頃のことを書いた文章と思われるが、休憩時間にロビーで、当時売出し中の谷崎潤一郎が、赤いチョッキを着て「金口」の煙草を

吸っている姿なども描写されていて面白い。

西洋クラシックの音楽会も大正に入ると、東京音楽学校の奏楽堂と帝劇を中心に盛んになってくる。そこに集まってくる人々は、野村光一氏の思い出によれば「本当に純粋に西洋音楽ファンであり、文学者、画家、音楽家、美術学校や帝大を卒業した、いわゆるインテリたちで、それらが聴衆層を形成していた」という。ここに掲げた芥川の文章は、いわばその「本当に純粋に西洋音楽ファン」とされた当時の「文学者やインテリ」の、密かなる本音というか偽らざる実態を垣間見せてくれるように思える。

そして、青白く痩身の芥川龍之介が、長髪をそのしなやかな細長い指でかき上げつつ、やや憮然とした面持ちでベエトオフエンなどに耳を傾けていた、その「クラシック音楽会」の雰囲気こそは、近代日本における教養主義、舶来崇拝主義の姿を、そして同時に、それらに対する芥川ら日本の知性たちの漠とした違和感をも最もシンボリックに表すものであったともいえるのではないだろうか。そしてこうした「雰囲気」は、大正、昭和、戦後を経てごく最近に至るまで、日本におけるクラシック音楽界の主流を成すことになる。

例えば、私が例のバイエルやチェルニーやハノンの、無限に続くかと思わせられる「お指の体操」に悩まされていた少女時代、即ち昭和二十年代から三十年代にかけての

日本では、当然のことながら依然としてクラシック音楽界における「舶来崇拝主義」「本場崇拝主義」というのは、まことに強烈であった。

「日本人にも科学ができるでしょうか？」

これは戦前の話であるが、日本の原子物理学の父といわれた仁科芳雄博士がコペンハーゲンに滞在中、ニールス・ボーアにこう訊ねたという。

仁科博士の恐らくは想像するに余りあるであろう真意がどこにあったのか、私に断言できるはずもないが、この言葉を聞くと、私は自分の子供時代を想い出す。昭和二十年代から三十年代にかけての日本といえば、一般的にその全体がなお敗戦の衝撃と巨大な自信喪失から立ち直っていない状況であったが、特に西洋クラシック音楽の世界にあっては、西欧先進諸国の過去の栄光と実力は、その堂々たる石造りの街並みにも似た圧迫感で、貧しくコンプレックスに満ちた日本の音楽界を圧倒していた。ちょうど一般に「パリ」といえば、乞食までもがシックであるように目に映り、フランスの貧しい人々にとって最低限の食事であるバゲットと安ワインだけの夕食さえも、それ自体が憧れのヨーロッパ生活を具象化するものであったように、「本場」のすべての音楽が手の届かぬ憧憬の対象となっていたのである。

そういった背景のなかで、私の周囲の大人たち――それは主として明治・大正生れの音楽上の大先輩たちであったが――が、本場と本場の人間に対して、つい卑屈とも思わ

れるような態度をとり勝ちであったのも、いたし方のないことであったのかも知れない。例えば、来日した或るドイツ人の若手ピアニストが、「ベートーヴェンは神の啓示である」などといった月並みな言葉を衒いもなく吐くのを聞いて、「あんなに若いのに、流石はドイツ人だ。日本人のピアニストにはあんなことは言えないだろう」と大真面目に感激した大先輩もいた。

明治人の気骨に溢れる野村光一氏のような方でも、ときには気弱く、仁科博士と同じような思いに駆られることもあったのだろう。私が中学生の子供だったという気安さも手伝ったのか、或る時野村氏が「何といっても、日本人に比べてヨーロッパ人の方が哲学的であり、知的なんですよ。彼らにはその伝統がありますからね」としみじみ言われた言葉は、今でも私の心に深く焼きついている。その野村氏の言葉が、「日本人にもピアノが弾けるのだろうか」という万感をこめた問いかけのように響いてくる。

そうした輝かしく堂々とした「本場」に対する限りなき憧憬は、ほとんど宗教的とさえ言えるような舶来崇拝志向とも重なって、日本のクラシック音楽の風土にさまざまな特殊の気候をもたらし、そしてそれは思いがけない形で今でも現れることがある。例えば、この日本にあっては、クラシックの音楽家たる者は何よりも先ず人格高潔にして知性と教養に溢れ、その日常は神に人生を捧げた修道僧のようにストイックでなければな

らない、とでもいったような。

こうした、西洋クラシック音楽のみならず、それに関わる音楽家全体をいわば神聖化して見つめたいという願望は、今でも或る年代層の男性音楽ファンの中などによく見出すことができる。例えば「バッハの無伴奏チェロ・ソナタを、あのような魂の高貴さをもって演奏するあの人が（噂に聞くように）金銭や女に卑しいわけがない」などというような形の発想がそれで、話は飛ぶが、例のヴァイオリンの海野義雄氏の事件の社会的受けとめられ方などは、その極端な例だったと言えるだろう。

そしてさらにこの一種ストイックなまでの真面目主義は、音楽上の諸問題を奇妙に抽象化して発展させてしまったりもする。すなわち、例えば、日本人はこれほどまでに本場に対して敬意を捧げ、切磋琢磨して努力に努力を重ねているのに、何故「本場人」のような音を出すことができないのだろうか？　といった問題提起が、たちまち技術的な「マニュアル」の問題を飛び越えて、精神性の問題として意識されてしまうというように。

つまり、ある内面的な作品の或る個所を感動に満ちて演奏することができないのは、表現力や技術の乏しさのせいではなく、要するにその音楽家の「心掛け」や「精神修養」が不足しているせいであり、（本場の文化に対する）「教養」が欠けているせいなのだ……。

昨年末、来日したハロルド・ショーンバーグにこの問題を話したところ、彼は眉間に深い縦じわを寄せてポツリと答えた。

「ホロヴィッツに、ネコの脳ミソほどの知性も期待してるやつはいないよ。しかし、彼の演奏は素晴しい。これはちょっと極端すぎる反論かね?」

31 コン・シャントンの場合

話は突然に変るけれど、シャム猫といえば、あのチョコレート色の耳や鼻先、オパールのように輝くアーモンド型の眼、スリムで鞭のようにしなやかな姿態や細長い尻尾などを思い浮かべてしまう。

とんがった耳や鼻先や手足、尻尾などの濃い色は、シール・ポイント、ブルー・ポイントなど同じシャムでも種類によって違うが、実はあの色はシャム猫が生来もって生れた色ではないのだという。つまり、あの毛色の濃淡は、なんと住んでいる環境の温度差によって左右されるものなのだそうだ。

シャム猫のからだの、鼻先とか手足とか尻尾とかそういった末端部分の体温は他の部

分より低くて、ある特定の温度より低い気温のなかで暮らしているとだんだん色が濃くなる。反対に暖かいところに住めば淡くなるという。これは人間の世界とは、全く逆の現象ではないか。

イギリスの高名な動物学者ジョン・ペイリング氏によれば、英国生れのシャム猫が飼い主に連れられて熱帯地方に引っ越したところ、色が薄れてとうとう全身まっ白になってしまったという例が、これまでにいっぱいあるというのだからすごい。

しかし、ふりかえって我が亡き老猫のことを思うと、シャム猫の毛色の濃淡は気温に左右されるという学説も、ややマユツバな気がしてくる。私と十八年間を共に暮らし、つい三年まえに大往生をとげたこのオスのシャム猫は、生前は日がな一日ひまわりの花のように太陽を追いかけ廻し、鼻先や耳や尻尾や手足はおろか、背中やお腹にいたるまでこんがりといい色に陽焼けしていたのだから。

彼が既に壮年期にさしかかってから、私は『いい猫を育てる本』というのを買ってきて、遅ればせながら彼のために健康管理法の研究を始めたことがあった。その本の中に、「いいシャム猫の見分け方」というのがあった。熱心に読んでみると、なんと我が愛猫はその「いいシャム猫」の条件にことごとく外れているではないか。

「この条件に外れているネコは、駄猫であるからして速やかに処分すべし」というその本の結論に、私はうなだれて、我が愛猫の喉をせめて愛情いっぱいかきむしってやった

ものだった。彼の毛色が気温の高さに対してシャム猫ばなれした反応をみせたのも、実は彼が駄シャムであった証拠というわけだろうか。

さて猫の毛色といえば、数年前作曲家の團伊玖磨氏にお供して中国に渡り、上海に滞在した折のことだ。私たちは、上海市交響楽団の練習風景を見学する機会を得た。

その日私たちが会場に入っていくと、折しも中国の音楽家たちは私の耳にひどく馴染みのある、それでいて何故か思い出すことのできないシンフォニーを練習していた。

なんだろう？　どうも知っている曲のようだけれど……。そこにいるあいだじゅう私は思いを廻らせ記憶をたどって、そして帰りの車の中でもホテルの部屋でも考え続け、ベッドにもぐった途端にハッと思い出した。

「そうだ、ブラームスのシンフォニー第三番だった！」

しかし、それにしてもなんという不思議なテンポとリズムとイントネーションで彩られた演奏であったことだろう。

そのときふと私の目の前に、私がその練習の終ったあと会話を交したチェリストの言葉とその自信に満ちた表情が浮かび上った。

「ヨーロッパの音楽をヨーロッパの楽器で演奏することを、中国人としてどう思うかと、ヨーロッパの人によく訊かれますが、違和感などあろうはずがありません。だって、そ

もそもこのチェロにしたって、最初は中国からヨーロッパに伝わったものなんですから」

このチェリストの言葉を「中華思想」といって片づけるのは簡単かもしれない。しかし、私は、その中国旅行で生れて初めて中国の古典的伝統音楽にじかに接し、大きな感銘を受けていたところでもあったので、彼のその自信に満ちた態度に何となく素直に納得してしまったのであった。

例えば北京で私は、九世紀に製作された琴によって一二四五年に作曲された曲が演奏されるのを聴いたのだが、千二百年もまえの楽器で演奏された七百五十年もまえの曲が、なんという実在感と洗練された語り口をもって私の心に迫ったことだろう。不勉強の身を恥じつつあえて白状するならば、私はこうした中国の古典音楽を、今日私たちがベルリン・フィルやホロヴィッツを楽しむのと同じ次元で楽しむことが可能であるとは夢にも考えたことがなかった。その迫力は、こういった中国の古典音楽の内に蓄積されてきた感受性と驚嘆すべきエネルギーをもってすれば、西欧近代文明の生んだクラシック音楽を呑み込み消化し、やがてその長い歴史のなかで代々中国人がやってきたように、すべてを中国化してしまうことも可能かもしれない、と思わせられるほどだった。

私が中国を訪れた一九八一年頃は、中国のクラシック音楽界は、まだようやく文化大革命で受けた痛手から立ち直ろうと努力をし始めたばかりの段階だった。上海音楽院で

は、文革でこなごなに打ち壊されたピアノのまだ使える部分を拾い集めてきて、それを何とか修復して練習用に当てようとそのための工作室のようなものまであった。

私が旅行中見聞した中国人の西欧クラシック音楽家たちの演奏の方も、さきほどの上海市交響楽団のブラームスのように、およそオーソドックスな西欧クラシック音楽のイメージからはかけ離れたものが多かった。しかし、そこに潜在する可能性となると、全く話は別になる。

あのような古典音楽の深い伝統をもつ中国が、ことといったん本気で西欧クラシック音楽に取り組んだとしたらどうだろう。あっという間に日本の現在のレベル、というとやや語弊があるが、少なくとも技術的、基礎的な意味での現在の日本のレベルまで追いついてしまうに違いない。

自らの歴史の蓄積が生んだ確固たる自信、伝統音楽にみなぎるヴィルチュオジティと官能的なロマンティシズム、社会体制、潜在的ななり手としての巨大な国民人口と才能と、すべて揃っているところにもってきて、彼らは現時点ではハングリーであり、そのうえ海外には華僑を中心とする強力なネットワークさえもっているのだ。

そして、この私の予感は、このわずか数年のあいだに着々と、現実のものになってきているように思える。

話を再びチャイコフスキー・コンクールに戻すと、今回文革後の中国から初めて送られてきた若いピアニスト二人が、モスクワに登場した。その一人コン・シャントン（孔祥東）は、上海生れ上海育ちのわずか十七歳の少年であったが、この少年の内に育まれた西洋音楽の完成度は、すでに予想以上のレベルに達していた。ロシアのメソッドを想わせる表現力豊かで肌理《きめ》濃やかなピアニズム、西洋的なロマンティシズム、加えてステージにおけるインプレッションの良さ。彼には、コンサート・ピアニストに必要な基本的な条件が備わっていた。

第一次予選のおしまいの方で彼の演奏を聴いたとき、私は美しい才能にめぐり逢ったときに得るあの快い興奮を、全身で感じたものだった。しかし思いがけないことに、仲間の審査員たちのほとんどは無関心であった。

ところが、百十一人で競われた第一次予選のときは、選び出された三十九人中三十二番目にしかすぎなかったコン・シャントンが、第二次予選においては（私にいわせれば、第一次のときよりも良い演奏をしたとは必ずしも思えなかったにもかかわらず）、なんと一気に八位にまで浮上してきたのだった。そして、私の周囲の審査員仲間は、くちぐちに私に言ったものだ。

「本当だ。今までうっかりと聴いていたけれど、確かにあなたが言った通り、あの中国人には才能がある」

惜しいことには、この少年はオーケストラとの協演がどうやら全く未経験のようだった。本選でのチャイコフスキーとブラームスのピアノ協奏曲が経験を積んで安定したものであったなら、かなり上位に入賞したことだろう。しかし、結果は七位に終ってしまったものの、今回の百十一人に及ぶ参加者のなかで、最も将来性を感じさせる何人かの一人ではなかったかと、私は思う。

聞くところによると、いまの中国ではそれこそ鉦《かね》と太鼓で中国全土から才能ある子供たちをスカウトし、選び抜いたうえで徹底的なロシア式の「英才教育」を始めているという。中国には、文革前にモスクワやレニングラードに留学し、海外のコンクールなどで上位に入賞を果したピアニストが少なからずいて、彼らが、「ロシアン・スクール」のメソッドを教えているのである。そして、このコン・シャントンに限らず、若くて優秀な才能は、すでにもう何人も出現しているといわれる。

彼ら中国人が、マニュアルの良いロシアン・メソッドではやばやと西洋音楽の基礎的技術と素養を身につけてしまったとき、中国人の西欧クラシック音楽演奏者はどう中国化していくのか。古くはインド、ペルシアの音楽に始まって、幾千年の歳月のなかで異文化を貪欲に呑み込み消化し、自分の伝統音楽としたあの巨大なエネルギーは、西洋音楽を呑み込んだ暁には、どう変っていくのだろう。その価値観は、いわゆる西欧の「本

家・本場」の価値観に受け入れられるようになるものなのだろうか。

中国の伝統的な思想から判断すれば、近代西欧の音楽など、彼らの古き伝統音楽の変型の一つ程度にしか考えていないのかも知れない。そして、世界が二十一世紀に移り変る頃には、中国における例えばショパンの演奏などは、きわめて魅力的な、しかしまっ白に毛色が変貌したシャム猫のようなものになってしまっているのだろうか。

それはさておき、少なくともこれまでのところ、国際コンクールといった場でバッハやショパンやチャイコフスキーなどを弾いている限り、日本や中国の「非本場人」は要するに「本家・本場」の価値観に左右され、結局のところ「国民性とは何か、民族の血とは何か」といった問題に突き当ることになるのはむしろ当然のことと思える。何故なら、音楽とは血を血で洗う民族の戦いの歴史でもあったのであるから。言いかえるなら、日本人から生れた「日本のバッハ」や「日本のモーツァルト、ショパン、チャイコフスキー、etc……」をもたない私たちの歯がゆさ無念さは、国際的な舞台に立ったとき一種の「悲哀」として、ひしひしと痛いほど感じられることにもなる。

が一方では、その歴史のなかにバッハやモーツァルトをもってしまった音楽家の悩み、というのも存在するわけで、ことはそう単純ではない面もある。二十一世紀も目前に迫った今日、中国はさておき私たち日本人音楽家の現在の「悲哀」も、案外近い将来に今まで考えてもみなかったような状況のもとで変化し、逆に大きく開花する可能性もある

のではないかと、そんな幻想もふと抱いたりする。あのシャム猫の毛色のように、文化というものは異質な文明、気候風土、感受性などに晒されれば、おのずから変っていくものであるのだから。

Ⅸ

なぜバッハをショパンのように弾いてはいけないのか

32　クレムリンのジュース

第二次予選が終ると、審査員たちの間にはどことなくホッと一息入れるような雰囲気が生れる。もちろん、明日からの本選では六日間にわたって、一人が二曲ずつ弾くピアノ協奏曲を毎晩二人分、つまり四曲聴かなければならないという重い仕事が待ち構えている訳だが、それでも的は十二人に絞られてきたし、審査会も通常の演奏会と同じように夜だけとなる。久しぶりに思う存分朝寝坊も楽しめるだろう。

そんなくつろいだ気分の私たちに、恒例のクレムリン内における昼食会への公式招待状が届けられる。

クレムリン、といっても実はあの城壁の内部は、外側から想像するよりはるかに広大で、教会から宮殿、博物館、そして大劇場に至るまでの各種の建造物が混在している。そして私たちが招かれる所は、よくテレビなどで報道されるあのクリーム色をした共産党本部のある建物でもなく、またほの暗い灯明にイコンが鈍く輝く寺院の一室でもなく、白い大理石とガラス張りの明るくモダンな現代建築群の一角で、どうやらこうした公式の宴会行事のために建てられたものらしい。

さてこれまでのロシアでは、長かれと願っても短いのは人生で、短かれと願っても長いのが乾杯の際の演説だ、というアネクドートがあるように、こういった宴会では延々と繰り返される乾杯がつきものだった。まず「あなたの健康のために」から始まって、「あなたの成功のため」「美しさのため」と進み、家族から友人からついには幸運を祈る相手のタネが尽きてしまってもまだ、「それではご主人の伯父さんのために」「そのまたお子さんたちのために」と乾杯は果しなく続き、それに伴っての演説もまた延々と続く。そして、当然のこととして、それには甘口のロシア産シャンペンやらご自慢のアルメニア産コニャック、そしてウオトカなどが欠かせなかったのは言うまでもない。ところが、今回の昼食会のテーブル上のクリスタルグラスに注がれたのは、やや残念であるが実は予期していたように、果物のジュースであった。それも、四種類もの！

「ソヴィエトは、実に果物のジュースの種類が豊かな国なのですね」

「はい、我が国のジュースは、実に素晴しいものであります」

といった儀礼的なやりとりを、私が、招待者側の代表でコンクールのピアノ部門審査委員長である作曲家のエシュパイ氏と交している横で、アメリカとフランスからの審査員が情けなさそうな表情でささやき合っている。

「こんなに沢山のキャビアを、クラムベリー・ジュースで食べなければならないとは、なんて話だ……」

ソ連の審査員たちの話によれば、いまやモスクワでは飲酒運転が発覚すると、場合によっては免許証剝奪のうえ三年間運転禁止処分となるのだという。

とはいえ、このゴルバチョフの厳しい飲酒規制政策発足いらい、統計によれば酔っぱらい運転による死亡事故は確実に減少したとのことだが、その一方、国内の重要産業の一つであったウオトカ生産の激減による内需の衰退、あるいは粗悪な密造酒による事故の増加などといった皮肉な話も伝わってくる。

ところでソ連の飲酒制限は想像をはるかに越えた厳しさで、こんなに厳しくては音にきこえたロシアの酒飲み達はさぞつらい人生を送っているであろうとなんだか気の毒にすらなるが、そこは人間社会、いずこにも何かしら抜け道というものがあるようだ。

クレムリン内での昼食会の翌日、私は友人に食事に誘われた。そこは、いわゆるノーメンクラツーラのための会員制のレストランであったが、そこでたまたま私は、人品いやしからぬ初老の紳士が一人で片隅のテーブルに着席するやいなや、素早く運ばれてきたコップの水（としか見えなかった）をたて続けに二杯呷って、さっと出て行くのを目撃した。その暗い隅の小さなテーブルにさり気なくすべり込んだ感じといい、ほとんど何の会話も交さずほんの一言何かささやいただけで間髪を入れずウェイターがコップを運んできた感じといい、たて続けに二杯キュキュッと喉奥に液体（それも決して少ない

量ではなかった)を放り込んだ感じといい、そしてツマミ用に出されたキュウリの漬物には手もつけず、あっという間に姿を消した感じといい、実に一切の無駄もなく、まるで芝居でも見ているように鮮やかであった。

ソ連では、ウオトカはグラム売りで出されるため、どんな高級レストランに入ってもまるで化学の実験を思い出させられるような目盛りつきのグラスにきっちり計って供される。ところがその紳士に出されたのは、ごく当り前の水用コップだった。だからかえって、外国人である私の目を引く結果となったのである。一部始終を眺めていた私は、私を招いてくれたロシア人の友達に今にして思えばトンマな質問を発したのだった。

「あら、あの人は何も食べないで水だけ飲んで行ってしまいましたけど、どうしたんでしょうね?」

33 コンチェルトの楽しみ

さて、いよいよ本選が始まった。

ピアノ部門の最終審査に残った十二名のファイナリストたちが、一夜に二人ずつ登場し、それぞれ二曲ずつオーケストラ伴奏でコンチェルトを演奏する。一曲はチャイコフ

スキーのピアノ協奏曲、もう一曲は自由曲である。

一夜に二人といっても、一人がチャイコフスキーとブラームスのピアノ協奏曲第二番、あるいはベートーヴェンの「皇帝」やラフマニノフの第三番といった大曲の組合せで演奏すると、それだけで一時間半は十分かかってしまう。それが二人分となると、演奏する方も重労働であるが、聴く方もなかなか骨の折れることである。

チャイコフスキー・コンクールにはピアノ部門の他に、ヴァイオリン、チェロ、男女の声楽などの部門もあって、それらの本選も同じくオーケストラ伴奏で行われるため、毎回ソヴィエト国立オーケストラ、モスクワ・フィルハーモニー、モスクワ放送オーケストラ等々が伴奏を分担する。今回ピアノ部門担当となったのは偶然にも、私と馴染み深いソヴィエト国立オーケストラであった。指揮は、これも偶然なことに私が四年まえドレスデン音楽祭で協演した、ワシリー・シナルスキーという中堅の指揮者である。彼はカラヤン・コンクールに優勝してデビューし、私が協演した頃にはリガのフィルハーモニーで音楽総監督を務めていた。大変に音楽的天分豊かな人であり人柄も温和で、ドレスデンでは非常に気が合って楽しい協演となった記憶がある。

さて、コンテスタントたちがオーケストラと一緒に練習できるのは、自分が演奏する当日の一回だけである。これはもう全曲を流してサッと合せるだけで、曲の細部にわた

っての丁寧な練習など時間的には全く不可能といってよいだろう。

一般的にいっても、普通の演奏会の場合、オーケストラとソリストが合せるチャンスは、滅多に上演されることのないような難曲大曲あるいは現代物の初演などということでもない限り、大抵は前日と当日の会場練習との二回限り、というのが国際的にも習慣となっているようである。

もちろん、その作品をオーケストラと合せた経験がない場合は、私たちソリストはオーケストラ・スコア片手にレコードを聴いたりするのはもちろんのこと、友人などに頼んでオーケストラの部分をピアノで弾いて貰って二台のピアノで一緒に合せたりして、事前にオーケストラ・サウンドに馴染んでおこうと努力する。

具体的に言うと、ここでティンパニーを三拍聴いて、四拍目に一緒に出る、次は主題がチェロに移って、ピアノは半拍ずつズレながらそれに合せる、そして、という具合に、協演のポイントをチェックし、ピアノ譜に注意マークを書き込んだり、あれこれと詳しく分析をしたりする訳だが、ところが、ああ、なんということだろう、いざ、オーケストラと一緒に弾き始めてみると、どういう訳かレコードでは手にとるように聴こえていたチェロが、実際にはさっぱり響いてこない、などといった事態が必ず、それも一つや二つならず発生するのだ。そのため、あのチェロを合図にこちらが弾き始めればいい、などと頼りにしていると、とんでもないことになったりして、それでカーッとあがって

しまって、あとはもう……といったような苦い味わいを、ソリストならば誰しもが一度は体験しているであろう。

オーケストラにぐるりと囲まれて座ってみて初めて知るのだが、あの中には響きの時差とでもいうようなものも存在するし、自分の近くに座って演奏している楽器の響きに消されてしまって、遠くにある楽器の音が聴きとり難くなるなどということは、むしろ当然のことである。例えばベートーヴェンのピアノ協奏曲第五番に「皇帝」というニックネームで知られた名曲があるが、その最終楽章のそれこそ一番最後の部分に、十四小節にわたってピアノとティンパニーだけが二人で演奏する個所がある。だんだん音を弱めテンポもゆるやかになっていって、そのあと華やかに一気に駆《か》けのぼるフィニッシュを「嵐の前の静けさ」ふうに強調する部分なので、とても緊張感に満ちているのだが、この部分はコンサートホールの響きによっては、オーケストラの最端部に陣取っているティンパニーと最前列中央のピアノとの間に時差が生じて合せにくくなるのだ。お互いに見合ったりして合せようとすると、音はかえってズレたりする。こんなときは、ほとんどカンに頼る他はない。何故、指揮者という存在が原則として皆より一段高い所に上って、しかも立ちっ放しでいることになっているのかが、突如として納得させられたりもする。私のやや強引な一人合点によれば、あれでは恐らく背のひどく高い指揮者とひどく低い指揮者では、それが良いか悪いかはべつとして、聴こえてくる音響の世界は相

当に違ったものとなっているに相違ない。

その上、こうした技術上の問題に加えて実はそれ以上に、経験の浅いソリストにとって心理的重圧となり得ることがある。それは、自分より先輩の音楽のプロフェッショナルたちにとり囲まれる、ということである。

オーケストラの楽員たちは、さまざまなタイプのソリストたちとの協演で肥えた耳をそばだてて、若いソリストを待ち受ける。彼らは寛大なこともあるが、冷酷無比になることもある。ソリストたちにとって最も手厳しい相手は、実は聴衆や批評家たちではなく、またときには指揮者でさえもなく、この百戦練磨の百人近いプロフェッショナルたちの耳なのである。

だから、演奏が終った瞬間に、オーケストラの楽員たちがお義理ではなく心から自分の方へ向って手を叩きブラボーと叫んでくれるのを見るときほど、ソリストにとって充実して幸福な一瞬はない。それは、恐らくその場に居合せた人々の誰のものよりも確かで、信頼のおける「評価」であるからである。

日本に洋楽が持ち込まれた当初には、コンチェルトを競奏曲、そのソリストを協演者ならぬ競演者と書いたことがあった。しかし、演奏家によって若干の解釈の違いはあるにせよ、最も基本的に言って、コンチェルトとはアンサンブルなのである。即ちそれは、

指揮者とソリストの競演あるいはいかに敵を出し抜いて一泡吹かせるか、といったようなことにその特質があるのではなく、というとがっかりする音楽ファンも少なからず存在すると思われるが、いわば巨大なトリオとしての喜びがその特質の中心をなしている。ソリスト、指揮者、オーケストラという三者の力がお互いに重なり合うことによってお互いの音楽的感興が刺激を受け触発され、ときとして想像をはるかに越えた独特で魅力溢れた演奏が展開する。こうした即興性に富んだいわば「会話」の魅力こそ、リサイタルにおける単独での演奏の世界とは明らかに違った、それこそコンチェルトにおける最大の楽しみ、醍醐味なのである。

そしてコンクールの本選における最後の勝負どころは、実のところこのファイナリストたちがこうしたコンチェルトの楽しみ、魅力の味わいを既に知っているかどうかにかかっているのである。

34　モスクワの聴衆たち

さて、六月二十八日午後七時半、まだ真昼のように強烈な太陽の陽ざしの中で、コンセルヴァトーリ大ホールは、一七〇〇の聴衆の熱気にむせ返るようである。今夜はソナ

の代表が一人と、そして予選のうちから聴衆に人気のあったフランス人の青年が演奏することになっているので、切符はとっくの昔から売切れ状態だ。

ピアノはソ連のお家芸といわれてきただけあって、モスクワの聴衆の質の高さというのは恐らく世界有数であろう。また、人々のコンクールに寄せる関心も並々ならぬものがあって、第一次予選のときからホールは常にほぼ満員（残念ながら、ツーリストとしての定評がほぼ確立してしまった観のあるアメリカ人と日本人が出場の日は、聴衆が減ってしまったが）、こんなことは、西側のコンクールでは考えられないことである。西側のコンクールでは、ともすると第一次予選などはさながら音楽学校の学期末試験のように傍聴者もなくガランとしている、というような光景が現出する。

私の観察によれば、モスクワでは聴衆の大部分は、現役のピアニスト、現役の教師、かつてのピアニストや音楽院の卒業生などのいわばプロ集団によって形成されている。そして、そのなかでも圧倒的にエネルギッシュで独特の熱気を醸成するのが、教育ママに変身したピアニストたちだ。

教育ママたちというのは、休憩時間になるやいなや、すぐさま地元の審査員即ちモスクワ音楽院教授たちに競い合うように近寄って、せいいっぱいのご挨拶をしたりするいっぽう、同国人であるソ連代表のコンテスタントたちに対する、ナイフのように鋭く手厳しくアグレッシヴな批判のさえずりを聞こえよがしに展開したりするので、すぐピン

とくる。友人であるセリョージャ・ドレンスキーの言葉を借りるなら、「ここに集まっているママたちは全員、『さあ、四年後の次のコンクールはうちの可愛いミーシャの出番よ』という熱い思いをこめて舞台を見つめているから、そのせいでホールの中が暑いのさ」ということになる。

そんななかでは、お母さんとカントール先生に付き添われてひんぱんにコンクールを聴きに来ていた天才少年キーシン君の存在などは目にも入らない。どうやらこれら「天才児ミーシャのママ」達にとっては、キーシンなど騒ぐにも値しないものであるかのようで、おかしいほど黙殺されている。教育ママたちというのは、どこの国でも「自分の子供こそ世界一」と信じているようだ。

そしてそんなモスクワの聴衆が最も情容赦ない反応を示すのが、同国人の演奏に対してである。

外国人コンテスタントに対しては、ときには演奏の内容に対して甘すぎるのではないかと、ややこちらの方であきれるほど寛大で温か味のある拍手を送っていた聴衆が、同国人の登場となるとガラリと雰囲気を一変させる。まるで、それまでニコニコと子供の相手をしていた者が、突然生真面目な本気に戻って大人に相対する、とでもいうような変貌ぶりだ。見ている私は、彼らの「聴き手」としての水準の高さに感嘆させられると

同時に、その一筋縄ではいかないしたたかさに、なんとなく唖然とした気持にもさせられてしまうのである。

私の観察するところでは、モスクワの聴衆の眼中には実のところ、同国人がどう演奏するかしか存在しないようであるし、一方、演奏するソ連代表たちにとっても、最も手強いのは審査員の判定でもコンクールの権威でもなく、あのゾッとするほどクリティカルな態度で聞き耳を立てている大聴衆にあるのではないかと思われる。その傾向は、完成度の高い演奏に対してほど手厳しく、才能はあるがまださまざまな点で未完成というタイプの演奏には寛大、といった形で現れる。

同様に、ロシアン・ピアノ・スクールとは一味違う味わいをみせるヨーロッパ系の演奏に対しては、実に熱烈といってよいほどの好感を示す。ロシア人の審査員たちのやや皮肉な見解に従えば、これは、「日頃めったに接することのできない外国のピアニズムに対して抱く、ロシア人のエキゾティシズムへの憧憬」の現れなのであるという。今回六位を得たロジャー・ムラロというフランス人の演奏などに対するやや過大なほどの熱のこもった拍手は、確かにそうしたロシア人の心情を代表しているように思われるが、これも口の悪い仲間の外国人審査員によれば、ロシア人の血の中には昔からフランスへのコンプレックスがあるからなのだ、ということになる。

アメリカ人に対しても、第一回のクライバーン出現以来、ロシア人の気持は常に（良

い演奏さえしてくれたら）熱烈大歓迎、という前向きの好意に溢れているのだが、近年のように「ツーリスト」ばかりが増えてしまうとさすがにうんざりするのだろう、第一次第二次予選などで審査が深夜に及んでくると、聴衆も「仏の顔もここまで」といった感じになって、プログラムの一曲目を聴き終えるやいなや一斉に立ち上り、それこそあえてドヤドヤといった感じで列を成して退場していく。そのため、ステージの上のピアニストは、そのざわめきに半ば茫然半ばシュンとなり、二曲目を弾き出す気力も失ったままドヤドヤが鎮まるのを待つのである。こんな仕打ちを受けたら、演奏する方としては、恐らく審査員から不合格を知らされるよりストレートであるだけショックも大きいに違いない。残念ながら、アメリカ人に次いで「ツーリスト」の多い日本人のなかにも、こうした聴衆の冷酷とさえいえるほどの仕打ちを受けた者が、一人ならずいたのであるが。

事実こうした寛大にして冷酷かつやや気紛れな聴衆とは違って、どんな演奏であってもとにかく最後まで聴き通すことを原則として審査を進めている私たちも、或る時とうとう耐えかねて審査委員長以下二十名の審査員全員一致のもと、その演奏を中断させるという事件が第一次予選中にただ一回あった。あまりにも拙劣な演奏で、到底プロフェッショナルなトレーニングを受けたことがあるとは思えないから、というのがその理由にあげられたほど実にたどたどしい（というも賞めすぎ）ぐらいの演奏であったのだが、

不名誉なことに、その、百十一人の参加者中唯一人退場を命じられたピアニストは、我が日本の女性であった。ところが東京の某音楽大学在学中と経歴には記されているこの女性は、それを恥入るどころか、驚いたことには、「一生懸命弾いていたのに止めさせるとは何ごとか」と、すぐさまコンクール委員会に対して怒りもあらわに正式な抗議声明を表明したのであった。

それはさておき、こうしたモスクワの聴衆の傾向を分析してみると、彼らが寛大に好意をもって受け入れるピアニストには、いくつか共通点が見出せるように思う。

第一に、これはいうまでもないことではあるが、基本的にはピアニストとして相当な能力をもっていること。そして、ステージに登場したときに、或る種の爽やかさとでもいうべき「感じのよさ」があること、即ち演奏を開始する前から既に満場の人の気持を惹きつける何かを備えていること。これはコンクールの場では大変重要視され、大きな才能の一つと認識される。更に演奏そのものにおいては、「先生から手とり足とり学んだ優等生」タイプの演奏よりも、素直で初々しさがあってのびのびとしていて、ミスは目立ってもなにか自分自身のことばで語りかけている、いわば、その人自身の人間的魅力が伝わってくるようなものであること。そして最後にもう一つ、外国人であること……。こうした条件が多少なりとも備わった若者には、聴衆はやや過度とも思える温か

な歓迎ぶりをみせる。

これは逆にいうと、しっかりと達者に指が廻るが、少々場慣れしていてマナーに新鮮味が欠け、うまいが語りかけてくるものがなく、攻撃的で冷たい印象を与える、といったタイプは、よほどの圧倒的名演でも披露しない限りやや通常よりクリティカルな眼差しの対象となる、ということになる。

そして、このような傾向は、実は聴衆だけに留まらない。審査員たちの判定は、野次馬気分に満ちた聴衆の反応に比べればはるかに慎重かつ冷静で客観的であるが、それでも基本的には同じようなところがある。すなわち技術的な未熟さはあとになっていくらでも練習によって改善することができるが、こうしたステージマナーをも含んでのピアニストの人間的魅力、技術をのりこえて語りかけてくるサムスィングといったものは、こればかりは生れつきの才能なのだという認識が、そこにはあるのだ。

35　先生たちは何をしているのか

ところでコンクールにおいては、「音楽的」という言葉が一種のキイワードのようによく使われる。この言葉は、一般には極めて多義的に曖昧に使われることが多いが、教

育やコンクールの場などでは主としてまだ評価の定まらない未完成な若い才能を対象とした場合に用いられる。

極端な例をあげると、「ブレンデルは、ラ・ローチャは、アシュケナージは、音楽的である」などとは、よほど特殊な意図をこめて言う場合以外は、まず言わない。既にその独自の表現語法を確立し、心技共に円熟の境地に達した演奏家に対して、彼らの演奏ぶりの好き嫌いを云々することはあっても、そこで改めて「音楽的」であるかないかなどと論議することはあり得ない。つまり「音楽的」であることは、一級の演奏家にとっては今更論議するまでもない当然の前提条件なのである。

そこで、では教育やコンクールの場における「音楽的」という言葉だが、分り易くいうとこれはまず、「恣意的」あるいは「出鱈目」な演奏と対比する意味で使われる。すなわち、これはもう初心者の段階から一貫して見られることであるが、「音楽的」にうたって演奏することと、勝手気ままに「出鱈目」に弾くことが混同されるという事態が実によく起る。これは今に始まったことではなく、昔から音楽修業の過程において常に現出したことであり、殊に自意識の強く才能豊かな、しかし未熟な学生には必ずといってよいほど起る問題であって、だからこそ、教師や先輩が厳しく見定めてやるべきことの典型でもあった。

例えば、シューベルトのソナタといった作品のなかで、一つの小さなフレーズの内に

三種類ものテンポが現れるなどということがあっていいものなのだろうか。それは、「音楽的」にうたっているとか、「個性的」であるというよりもむしろ、「テンポを安定させられない」「出鱈目なテンポ」と評されるべき筋合いのものなのではないだろうか。例えば、ベートーヴェンの初期のソナタで、再現部に戻った際の第一主題を提示部とは全く違ったテンポで弾く、例えばモーツァルトもショパンも一緒くたに同じようにうたって弾く、例えば……。

逆にいえば、ここでの「音楽的」という言葉は、出鱈目ではない「音楽的」演奏をするための、音楽の構成や様式や演奏上の約束事などをふまえての、極めて具体的な奏法を意味するといっていい。

例えば、モーツァルトの演奏とラフマニノフにおける演奏とでは、打鍵の指の角度、深さ浅さ、手首の高さ低さ、力の入れ方抜き方、更には全身のピアノへ向ってのフォームまで、必然的にことごとく違ってくる。そんな、モーツァルトとラフマニノフのような極端な違いならば奏法の使い分けは当然、と言うならば、ハイドンとベートーヴェン、シューベルトとショパン、ラヴェルとドビュッシー、プロコフィエフとバルトークならばどうか。バッハとスカルラッティの音色は、どう弾き分けるのか。楽譜に同じように *f*（フォルテ＝強く）と記されてあるからといって、モーツァルトの *f* をベートーヴェンの例えば「アパッショナータ」の中の *f* と同じように弾いてはならない。同じように書

かれた付点のリズムでも、バッハ一人をとりあげただけでも複雑な違いがあるし、更にモーツァルト、ベートーヴェン、ショパン各々にみな重さが違うのである。また、ショパンのノクターンを「美しく歌う」ためには、具体的にいって指先のどの辺りでキイを押したらよいのか、そのフレーズを終らせるときは、ヒジから力を抜くのかあるいは手首だけでしなやかにそっと抜くのか……。

挙げてみればきりのないことだが、要するにこういった奏法のディテールこそ、実はここで言う「音楽的」の内容なのだ。そしてその個々のディテールを、その演奏曲目そしてその作曲家の人間性から更には歴史的社会的背景にまでさかのぼって、説得力を以って身につけさせる教育の体系が、すなわち「コンセルヴァトワール」や各「スクール」によって確立され保持されてきた「音楽的」メソッドに他ならないのである。

話は一気に飛ぶが、この第八回チャイコフスキー・コンクールからちょうど一年後の六月、私はポルトガルのリスボン市で開催された第十回ヴィアナ・ダ・モッタ・コンクールと、その後七月よりスペイン北部サンタンデールで行われた第九回パロマ・オシア・コンクールの二つを続けて審査した。

この二つのコンクールは日本では比較的知名度が低いが、欧米では殊にポルトガルのヴィアナ・ダ・モッタの方は、モスクワ、ワルシャワ、ブリュッセルの三大コンクール

に次いで重要な国際コンクールの一つと認められている。このコンクールを主催するセケイラ・コスタ氏は、現代ポルトガルピアノ界の重鎮で、欧米において活発なコンサート活動を行っていると同時に、幾多の逸材を育てた教授としての名声も高く、話は前後するが、このときのヴィアナ・ダ・モッタもパロマ・オシアも、彼の門下生が圧倒的な完成度をみせて、ソ連をはじめとする強豪を大きく引き離して優勝した。特に、ヴィアナ・ダ・モッタの優勝者となった若冠十八歳のポルトガル少年アルトゥーロ・ピザロの出現は、近年にない新鮮な驚きとしてセンセーションを呼んだ。コスタ氏と私が出会ったのは、一九八六年度のチャイコフスキー・コンクールにおいてだが、彼は第一回よりほとんど欠かさずチャイコフスキー・コンクールの審査に加わっていて、その他にもさまざまな国際コンクールの主要な審査員である。

また、スペインのパロマ・オシア・コンクールは、スペイン北部の港町サンタンデールに在住する大富豪パロマ・オシア・デ・ボティン夫人がスポンサーとなって催されるもので、スペインでは最大の規模のものである（これは全くの余談だが、コンクール開催中に、彼女の長女カルメンとオシア夫人所有のゴルフコースでキャディをしていて世界的ゴルファーとなったセベ・バレステロスが正式に婚約し、日本のスポーツ紙などにも報じられた）。

共に課題曲がチャイコフスキー・コンクールより盛り沢山と思われるほど重く、審査

員の顔ぶれも、セケイラ・コスタをはじめとしたファニー・ウォーターマン（英国リーズ国際コンクールの委員長）、ニコル・シュヴァイツァーといったチャイコフスキー・コンクールの審査員席でのお馴染みから、ニキータ・マガロフ、ユージン・イストミン、パウル・バドゥラ＝スコダといった演奏家に、ブライス・モリソン（英）、ハロルド・ショーンバーグ（米）といった評論家に至るまで多彩な顔ぶれである。

この二つの国際コンクールで私は、一ヵ月半ほどにわたって百人を超える若手ピアニストの演奏を聴いたのだが、これは私にとって、一九八二年から二回のチャイコフスキー・コンクールの審査を通じて考えてきた問題を、別の角度から立体的に眺めるというような体験となった。

コンクールという場は、いわば世界のピアノ教育の成果の最新情報を直接この目と耳で知ることのできる現場だということもできる。例えば、ここで問題にしている「音楽的」ということと「出鱈目」、といって悪ければ「恣意的」な演奏との区別を、コンテスタントたちがどのように見定め教えられているのかを、じかに耳にすることができるのだ。

そして結論を言うならば、現在の世界のピアノ教育の成果は、どうやらこの「音楽的」と「出鱈目」との区別において巨大な混乱に陥っていることを示していると言わざ

るを得ないと私には思われた。

即ち、例えばショパンをタイプライターのように弾くコンテスタントがいる一方で、ベートーヴェンを船酔いしそうなテンポ・ルバートで、あるいはシューベルトをショパンのノクターンのように「歌いっぱなし」で弾くピアニストもいる。ということは、こういう生徒の「音楽的であること」についての誤解を権威をもって指導することができない先生が存在することを意味する。なぜ、バッハをショパンのように弾いちゃいけないのですか、先生？　と訊かれて、説得力をもって答えられない教師がいることを意味する。そんな演奏でコンクールに出たらみっともない、と制することのできない先生がいることを意味する。

「先生たちは何をしているのだろう？」

この疑問は、実はモスクワでもリスボンでもサンタンデールでも、密かにささやかれていたことであった。もちろんこれは、大きな声では話しにくい種類の問題である。何故ならば、「先生たちは何をしているのだ」と慨嘆するコンクールの審査員たちの大多数が、自らまたその先生でもあるのだから。

そして率直につけ加えるならば、その混乱はごく少数ながら一部の審査員たちにも及んでいるといってもいい。

スペインのパロマ・オシア・コンクールで偶然一ヵ月近くものあいだ、私と席を隣り

合せで審査に参加したアメリカのハロルド・ショーンバーグなどは、ほとんど諦めたように言ったものだった。

「悲しいことに、確かにいま世界からは、偉大なピアノ教師が絶滅しつつあるようにみえる。ジュリアード音楽院に代表されていたアメリカ・ピアノ楽派（スクール）はついに絶滅し、オーストリア楽派も影を失った。ドイツ、フランス、そしてあの輝かしい栄光のロシア・ピアノ楽派でさえももはや昔に較べるべくもない」

とはいっても、クラシック音楽の伝統は一朝一夕では変らない。どう弾いたっていいじゃないかという「出鱈目」が、そう簡単に一挙にコンクールを制するというわけにはまいらない。

例えば、特に翻ってチャイコフスキー・コンクールで聴く限りにおいては、モスクワのロシア・ピアノ楽派は、ラフマニノフやホロヴィッツ、あるいはネイガウスやギンスブルグ、ギレリスやオボーリンといった教授たちの時代から較べれば小粒で地味になったとはいえ、現段階ではまだ信頼のおける価値観が主流を占め、まだまだ他の国に比べれば堅固であるように見受けられる。ブーニンをはじめとするごく少数の若手たちの内に見られる混乱も、彼らが主流でない限りは大した影響とはならないであろうし、現在よりもむしろ次の世代のピアニストたち、例えばプレトニョフやガブリーロフといった

大型の才能たちがコンセルヴァトーリの中心になる時代には、再び活気が甦るかも知れない。

モスクワ音楽院を頂点とするソヴィエトの音楽教育システムは、譬えていうならば我が国の相撲部屋のようなものである。いつの時代にもその折々のスターである横綱が出るようになっていて、引退をすれば部屋を設立して親方となり、全国から優れた才能をスカウトしてきて次代の横綱を育成する。時によってそのスケールに大小の差はあるものの、ヒーローとしての横綱は、いかなる時にも絶えることなく生み出されていく。

しかし、それにしても問題の根は非常に深いと思わざるを得ない。それは考えつめていけば、「先生たち」やピアノ教育の問題というより、むしろ現代の世界全体における音楽の流れの中での、クラシック音楽のあり方と関わってくるものと言わざるを得ない。

十九世紀に開花したロマン派を頂点とするピアノ音楽の価値観を基軸とするクラシック音楽そのものが、現代の絶えず生れ変化していく音楽全体の流れに影響されていく……、そのことによる分り易い一つの巨大な変化に、「音楽的」という最も基本的な要素もまた巻き込まれつつあるのかも知れない。なぜバッハをショパンみたいに弾いてはいけないのか？

X

コンクール優勝者が多すぎる

36　バリー・ダグラス

七月一日、本選第四日目。

開演は夜の七時半からだというのに、コンセルヴァトーリの大ホール前には、五時を廻る頃から早くも人々が集まり始めた。キャンセルを待って当日売りの券を手に入れようとする人々や、そういう人を目当てに即席のダフ屋をする学生などが入り乱れて右往左往しているのが、四階の審査員控室からもよく見える。その人混みは開演時刻が迫るに従ってますます激しくなり、ゲルツェン通りにはいつの間にか警官が何人も出動して、交通整理を始め出すほどとなった。

人混みの原因は、バリー・ダグラスである。第二次予選で演奏したムソルグスキーの「展覧会の絵」が評判を呼び、いまや優勝候補の筆頭にあげられているらしい。その彼が、いよいよ今夜本選に出場するのである。

会場前の人混みには、これまで見たこともなかったほどの沢山の数のカメラマンや報道関係者たちの姿も見える。どこから伝え聞くのか分からないが、ダグラスの出場する今夜をはじめとして、ナタリア・トルル、イリーナ・プロトニコワといった優勝候補と目

されているピアニストが出場する日と、高位入賞などはじめから期待もされていないピアニストが弾く日とでは、集まるカメラマンの数に歴然とした差があって、こちらの審査内容をとうに見透かされているような気分にさせられる。まるで、演奏前からダグラスの優勝が確実視されているかのような報道陣の動きである。

いずれにせよ、トルルとプロトニコワが各々本選の二日目と三日目に出場し、既にそれなりに評価を得てしまっているのであとはダグラス次第、人々が残るダグラスに注目するのは当然すぎるほど当然のことかもしれない。

ダグラスの演奏はその夜の二番目に当っていた。最初に弾いたのはキューバの二十五歳になる青年ヴィクトル・ロドリゲスである。しかし、ホール一階の最前列につめかけたカメラマンたちが、彼の写真を撮る目的のためにそこにいるのではないということはもちろん、彼の演奏を聴く気もないのは誰の目にも明らかで、そんなざわついた存在をステージのかぶりつきに据えて、ショパンとチャイコフスキーのコンチェルトを演奏しなければならなかったロドリゲスこそ災難であった。

そうした周囲の熱気と興奮のなか、聴衆期待のダグラスは、ダーク・ブルーのスーツに身を包んで、やや不敵ともとれる笑みを浮かべて姿を現した。カメラマンたちが一斉に立ち上って、シャッターを切る。まるで雨が降り注ぐかのようなその音に、審査委員長のエシュパイ氏が眉をひそめながら身を乗り出す……。しいーっと聴衆のあちらこち

らから非難の声が出て、ざわめきは収まり、満場が息を殺してステージの上の或る一点に注目する。

やがて、静まり返ったホールに、チャイコフスキーのピアノ協奏曲第一番の、冒頭のあのホルンのソロが響き渡り、続いてダグラスの指が鍵盤の上に打ち降ろされた。六月十日より始まったコンクールは、ここで本当のクライマックスに達したのである。

バリー・ダグラスについて私が受けた印象について語ることには、或る種のためらいが伴う。

というのは、私自身も彼を第一位に推した一人なのでこんな言い方をするのは自己撞着なのだが、この三週間にわたるコンクールの期間中に私の心をとらえたのは、バタゴフ、グレムザー、トルルといった人たちではあっても、ダグラスであったことは一度もなかったからである。逆に言えばダグラスの演奏は、常に私の関心外にあったにもかかわらず、しかし本選で彼の演奏が始まってみると、私はダグラスが一位となるであろうことに紛れもない確信、とでもいうべきものを感じたのであった。

天の時、地の利、人の和、などというと古めかしくなるが、何事にも機が熟す時がある。ダグラスの場合もそれであったのだろう。つまりまず彼は、他のそれぞれに才能のきらめきを見せる少年少女たちの「優秀な学生」の中にあって、彼らとは一味違った大

人の男の味、とでも言いたくなるような演奏の熟度をもっていた。それが今回のコンクールを通じて、演奏家としての彼の存在感をコンテスタントたちの中で何よりも明確に示した理由の第一ではないかと思われる。

このような次元における存在感の差の上に立つ時には、彼の、強いて言うならば「洗練された荒々しさ、強引さ」とでもいった表現力も別の意味を持つことになる。即ち、ロシアン・ピアノ・スクールの優等生たちのしなやかで耳に心地よく響き難点のつけ難い、しかし退屈な演奏や、少年の初々しさはあっても腰砕けになりかねない他の男性ピアニストたちの中に混ると、ダグラスの演奏は、明らかにそれらとはスケールを異にした、図太い、しかしなかなか説得力のある新鮮な響きとなって聴こえたのであった。先にも触れたように、コンクールによく登場してくる若いピアニストたちには「出鱈目」に弾くことあるいはエキセントリックを装うことが「音楽的才能」を見せつけることである、とどこかで錯覚し混同しているような一般的な傾向が見られる。そして、そういった軟弱な若い人々の中におく時、バリー・ダグラスの演奏はむしろ男っぽく骨太で健康的で、聴く側に或る種の安心感のようなものを与えたのだ。

コンクールというものは、既に何度も繰り返し述べてきたように、あくまで参加者のなかでの他者との比較で成り立つものである。バリー・ダグラスは、今回のチャイコフスキー・コンクールの中では他の参加者たちに比べるとすでに一人前の演奏家として成

熟していると見えた唯一のピアニストであった。そしてそれが、彼が今後超一流の芸術家として偉大な道を歩むことにまで繋っていくかどうかは、そもそも性格の違う問題と思われる。私の個人的な見解では、彼の音楽には、たとえて言うならばピアノという美女をかき口説くための手練手管には熟達しているものの情が伴わない、といった少々アーティフィシャルなところがある。そして実はそこら辺りのところに、現代の音楽界をいいにつけ悪いにつけ大きく左右し影響を与えている「コンクール」というものの、一つの芸術的弊害が見出せるのではないかと私には思われるのである。

このアイルランド生れの二十六歳の青年は、この数年来、国際コンクールの主だったものを次から次へと受けていた。予選落ちを繰り返しながらもパロマ・オシア、クライバーン、シドニーなどの国際コンクールには上位入賞を果たし、国際コンクールの「プロフェッショナル・ファイナリスト」あるいは「ヒッチハイカー」、「また会ったね」と半ば呆れられながらも頑張り抜き、そして、一九八二年の第一次予選落ちにもくじけず、その四年後には、ついにチャイコフスキー・コンクール優勝のビッグタイトルに輝いたのである。

37　プロフェッショナル・ファイナリスト

ダグラスに限らず、こうして国際コンクールを渡り歩き、キャリアを何とか築き上げていこうとする若者たちは今日ますます増加しつつある。どのコンクールに行ってみても、出てくる顔ぶれは実はほとんど同じである。私たちは、新鮮な喜びなどというものには程遠い、そこかしこで聴き馴染んだような演奏に何度も耳を傾けることになる。

ヨーロッパのキリスト教文明諸国の所産であったクラシック音楽が、二十世紀後半、即ち具体的には第二次世界大戦後から世界的規模で普及し大衆化し始めたことは周知の通りである。そして音楽の国際コンクールも、そういった社会基盤の上に立って飛躍的に増加してきたのだが、その量的増大の結果、国際コンクールの性格に重大な変化が現れてきた。かつては国際コンクールはごくわずかしか存在せず、それ故にまた、それぞれの国際コンクールの特徴とそれを支える権威というものが明確に存在し得た。しかし現代では、国際コンクールは世界のあちらこちらで年にいくつも開催され、質的にいっても各コンクールにおける特徴にそれほど大きな差がなくなってしまっている。

早い話が、どこのコンクールでも、古典から現代曲に至るまでのピアノ独奏曲の主要作品を中心に課題曲が構成されており、違いといえば、モスクワではチャイコフスキーを、スペインのコンクールではアルベニスを弾かされるといったこと、また場合によってはセミ・ファイナルで他の器楽と室内楽を演奏させられる、といった程度でしかない。そして、しかもその課題プログラムは、現代では質量共にますます重くなって、時には「いったいこのコンクールは、何を目的としてこんなに多大な量のプログラムを参加者たちに要求するのだろうか」と、半ば呆れさせられてしまうことさえある。これでは、まるでピアノ演奏のトライアスロンではあるまいか。実際のところ、参加者たちは、音楽的才能や芸術的感性がいかに優れているかなどということよりも先に、一にも二にも人並みはずれて強靭な肉体、体力と、そして何事にもたじろがない図太い神経を持ち合せていなければ、こうしたタフな長丁場を勝ち抜いてはいけなくなる。「悩める青白きインテリタイプの病的芸術家」ふうなどでは、とてもピアニストとして生きていくことはできないといった有様になっているのである。

そしてその結果として、バッハの平均律からモーツァルト、ハイドン、ベートーヴェンなどの古典的ソナタ、ショパンやリストのエチュード、フランスの近代作品やソヴィエトの現代作品の、小品でも大曲でも、ソロでもアンサンブルでも、更には他の楽器や声楽の伴奏に至るまで、何でも一応それらしく弾きこなす者が選ばれて生き残ってくる

ことになる。

私がバリー・ダグラスの演奏について「アーティフィシャル」と感じたもの、それは言い換えると、彼が長年にわたってこうしたタフな長丁場を生き抜いてきたことによって身につけた、いわば「プロフェッショナル・ファイナリスト」としての演奏上の生活の知恵とでもいったもののせいに他ならないのではあるまいか。

また、こうして雨後の竹の子のようにコンクールが増えてくると、コンクールに入賞しても、あるいはそれが一位なしの二位、つまり最上位の入賞などであっても、更に優勝してさえも、それがただちに仕事の依頼に結びつくとは限らない。既に世間には、コンクール入賞者そして優勝者が多すぎるのである。

一九八二年のチャイコフスキー・コンクールで入賞したアメリカの或る男性ピアニストは、現在でも妻子を養うために日常はナイトクラブのバーテンダーとして働いている。彼はジャズピアノも弾けるのだが、強力なユニオンの存在のために、ちょっとアルバイト、という訳にはいかないのである。

また、ダグラスが一位となった一九八六年のコンクールに入賞した米国のウォルフラムは、つい最近アメリカ国内のローカル・コンクールで念願の一位をようやく手に入れたが、優勝後彼が喜びと共に最初に思ったことは、これでこれからはレストランの皿洗

いをしなくても生活していけるようになるかもしれない、ということだったという。

国際コンクールで生産される「コンサート・ピアニスト」志望のピアニストの数が、コンサートの需要をはるかに上廻ることとなって、若い演奏家たちは食べていくために様々な知恵をしぼる。次から次へと賞金の金額の大きそうなコンクールを渡り歩いて、首尾よくファイナリストの一人に選ばれれば、そこでいくばくかの賞金と、運がよければその国あるいはその町でのコンサートのチャンスが得られる。「プロフェッショナル・ファイナリスト」や「ヒッチハイカー」たちは、そうやって生活を支えてもいるのである。


今年の九月、イギリスの工業都市リーズで第九回リーズ国際ピアノコンクールが開催された。このコンクールは、ファニー・ウォーターマン夫人というリーズに生れ育ったピアノの先生が、地元の大企業などを動かして一九六三年に設立したものである。以来三年に一度ずつ催されてきたが、過去の優勝者からルプー、ペライア、リル、といった実力あるスターが誕生したこと、また、イギリス殊にロンドンが音楽市場としても大きく、他の多くのコンクールと違って一位入賞以外もよいチャンスを得られるということから受ける側の方の人気を呼んで、名声と権威を次第に強めてきた。

私は、そのリーズ・コンクールの創始者でチェアマンでもある実力者ファニー・ウォ

ーターマン夫人と、一九八六年のモスクワとこの一九八七年六月のリスボンにおけるヴィアナ・ダ・モッタ・コンクールの二度にわたって審査員として共に毎日を過し、多くのことを考えさせられた。この今年六十七歳になるユダヤ系のヴァイタリティ溢れる小柄な老婦人は、彼女が設立したコンクールの名声と共に、いまや英国内のみならず国際コンクールの場において、この世界有数の実力者となりつつある。

その彼女によれば、第九回リーズ国際コンクールには、世界各地から約二百名の参加申し込みがあり、それを書類審査で約半分に切り捨てたということだった。そしてその百名のうちの四十八人が過去の各国際コンクールの入賞者たち、そして更にそのうちの十六人は各コンクールの第一位入賞経験者である、と彼女は語った。その入賞者たちの中には、八二年のチャイコフスキーで一位なしの二位を英国のピーター・ドナホーと分ち合った、ソ連のオフチニコフも含まれているという。この現代では、たとえチャイコフスキー・コンクールの最上位入賞者といえども、一位なしの二位（それも二人で分けた）では、国際的な脚光を浴びることはなかなか難しいということであろうか。

ちなみにこのリーズ・コンクールは九月末に審査が終了し、彼即ちソ連のオフチニコフが優勝したことが判明した。二位はオーストラリア人のイアン・ムンロー で、彼は今年に入ってからヴィアナ・ダ・モッタ、パロマ・オシア、イタリアのブゾーニなども含めて実に四度も国際コンクールを受けて入賞したことになる。さらにまた第三位には、

日本の小川典子さんが入り健闘ぶりをみせた。小川さんがチャイコフスキー・コンクールの第二次予選で惜しくも選にもれたことは先に述べたが、彼女はこのリーズの直前にもイタリアのブゾーニ・コンクールを受け、そこでも第二次で落とされたという。全くコンクールというものは、水ものである。

いずれにしてもいまや、国際的な場で新人がデビューをするには、コンクール一位のタイトルが一つでは十分ではない。それを認識させられたという点で、この第九回リーズ国際コンクールはまことに象徴的であった。

38　最終審査

さて、チャイコフスキー・コンクールの本選は、七月三日ですべて終了した。残るは審査会のみである。

チャイコフスキー・コンクールの本選審査は、予選のように二十五点満点での投票ではなく、討議によって進められる。

十二名のファイナリストたちは、以下のごとくである。エロヒン（ソ連）、ムラロ（仏）、ウォルフラム（米）、トルル（ソ連）、プロトニコワ（ソ連）、アルダシェフ（チェ

コ)、ロドリゲス(キューバ)、ダグラス(英)、ツェリャコフ(ソ連)、ブッフネル(米)、孔祥東(中国)、クルシェフ(ブルガリア)。

審査会は七月三日本選最終日、最後の演奏者クルシェフが弾き終えたあと、軽いティー・ブレイクをはさんで、午後七時半すぎから始められた。

今回は審査席のすぐ横に、同時通訳用のブースが三つ仮設されている。そして、ふと気がつくと、テーブルの上にはイアホーン附きの小さなトランジスターレシーバーが、全員のために用意されてあった。私と一緒に座ったセリョージャ・ドレンスキーが、得意気に私に語ってきかせる。

「先年、東京国際コンクールに招待されて行ったとき、審査会が同時通訳で非常にスムーズに運んだのにすっかり感心してしまってね。帰国してからすぐ、デミチェフ文化大臣に進言したのだよ。モスクワでも、やってみるべきですってね」

そういえば、前回八二年の時には、各々の審査員に各々の言葉の通訳嬢がつき、それがまた各々勝手にぺちゃくちゃやり出して審査会が混乱し、遅々として進行しなかった記憶がある。

「さて、皆さん、私たちの任務も最後に近づいて来ました。ここで、最終審査会を開始したいと思います」

エシュパイ審査委員長が立ち上って、ロシア語で挨拶を述べる。

「今回はロシア語の他に、英、仏、独三ヵ国語の通訳が、同時通訳をします。どうぞ忌憚なく、率直なご意見をお聞かせ下さい。では」

そこで審査員たちは一斉に慣れぬ手つきで、イアホーンを片耳に突っ込んでダイアルを廻し始める。

「先ず、今回は一位入賞者を出すかどうか、大変に水準は高かったと思われますが、一位に値すると思われたピアニストはいたかどうか、手を挙げて答えて下さい」

なんだって？　聴こえないよ、ねえ、どのダイアルを廻したら英語の同時通訳なの？

事務局のスタッフたちが飛び廻って、レシーバーの調整を試みる。

「すみません、もう一度言って下さい」

「はい、今回は一位を出すべきだ、と思う方は？」

賛成二十一人、反対一人。

「では、一位を出すことにします。次に、では一位を一人にするか、あるいは二人にするかについて決議をとります」

座が再びいっせいにざわめき、三つの同時通訳のブースから、なにしろ仮設なので遮音防音ができていないらしく、ロシア語なまりの英独仏三つの言語が一つになって聞こえてくる。

「静かに、皆さん」

なんだなんだ、と、隣り同士が説明し合ったりの騒ぎからやがて一つ二つと手が挙がる。一位一人のみに賛成は十八人、一位をタイで二人に分ける意見には私も含めて四人。

「私は、ナタリア・トルルとバリー・ダグラスが共に一位を分ち合う価値のあるものであると提案します」

と、エシュパイ委員長。私もその意見に賛成を表明する。この二人のピアニストは、各々お互いに持ち合せていない特質を備えていて、ダグラスだけに一位を与えるのは少し残念に思われたからである。

意見を表明するために、一斉に手が挙がる。

「委員長。私はイリーナ・プロトニコワとダグラスという組合せを強く推薦します」

と、アメリカのダニエル・ポラック氏。彼はポーランドのステファンスカ女史と共に、今回副審査委員長を務めている。

「私も一位を二人という意見に賛成です。だが、ダグラスとクルシェフ……」

ブルガリアのガネフ教授の言葉は、さすがに自分の弟子の名前をあげるところで、やや小声にかすんでしまったが、そこで東独のヴェーバージンケ教授が憮然として割り込む。

「挙手の数で決議をとるのであれば、一位を一人という人は圧倒的多数、もう決ってい

るではないですか。二人の候補者の名をあげる必要はない」

それまで同時通訳のレシーバーをあれこれいじり廻していた英国のウォーターマン夫人が、耳からレシーバーをはずして、断固として叫ぶ。

「そうです。一位は断然ダグラス一人です。ねえ、そうじゃありませんこと、あなた？」

と、突然向き直られて、ドレンスキー教授が思わず相槌を打ってしまう。ウォーターマン夫人の小さな手がドレンスキー教授の分厚い手の上に重ねられる。

「それでは、ダグラス一位、一位は彼のみ、ということで決定してよろしいですか」

と、エシュパイ氏。

「プロトニコワは実によく弾いたのに」

と、ポラック氏は残念そうに隣のステファンスカ女史に語りかけるが、ステファンスカ女史はプロトニコワに関心がないので、あっちを向いて聞き流している。

こうして、ダグラスの一位は確定したが、実際のところその結論に達するまでには四十分もかかってしまったのであった。

「ねえ、ツェリャコフのリスト、どう思った？　彼は才能あるだろう？　すばらしいタレントだと思わない？」

と、突然ドレンスキーが私に語りかける。私の手の上に彼の大きな手が重なる。

「そうね、でも二位にはナタリア・トルルを推したいわ」

と、私が答える。いくらなんでもツェリャコフを二位なんて……。

「では、第二位を決めます。第二位は一人ですか、二人ですか？」

第二位は一人というのが十三人、過半数を超えている。

「では二位は一人と決定。候補者の名をあげて下さい」

トルルに十四人、プロトニコワに八人。さすがに他の名前はあがらない。もちろんツェリャコフの名も。

「では、第二位はナタリア・トルルと決りました」

すみませんが、ちょっとレシーバーが鳴らなくなってしまったんですが……。テーブルの一隅からフランスのルビエ氏の声があがる。

それから、お願いですから、英語の同時通訳の方、ブースから出てきてここでじかに話して下さらない？　そのブースからは英独仏が全部一緒に筒抜けに聞こえてきて、何が何だか分らないのよ、と、ウォーターマン夫人。

なにしろ、同時通訳のブースは私たちからわずか数歩の距離のところにあって、なにも感度の悪いレシーバーを通さなくとも、全部じかに聞こえてしまうのである。

いつの間にか、それぞれの審査員たちについているいつもの通訳嬢たちが元気をとり

戻して、かつての原始的方法で議事進行を説明し始め、テーブルに十ヵ国語が騒然と飛びかい始めた。

「やっぱり、ソ連製のレシーバーは駄目だったかなあ」

と、ドレンスキー教授がぼやく。

「いいアイディアだと思ったのだけれど。東京では、ソニー製だったから上手くいったのかも知れないな」

「はい、静粛に、皆さん。次は三位です」

三位を一人、が十三人。三位をタイで二人に、が九人。ニコライエヴァ、ヴラセンコといった審査員が、フランスのムラロを推す。しかし最終的には、プロトニコワ一人に決定した。

「ねえ、ツェリャコフの演奏、よかっただろう?」

と、ドレンスキー教授が私にささやく。相当強引な売りこみである。しかし、それが憎めないところがミソである。

「では四位を決めます」

「議長、私は四、五、六位をそれぞれ二人ずつタイに分けることを提案します」

と、ウォーターマン夫人。このウォーターマン夫人の意見は、最終的に受け入れられることとなった。

四位はフランスのムラロとソ連のツェリャコフが分けることに決定する。ドレンスキー教授が、やれやれとでもいうように煙草に火をつける。彼の愛弟子ツェリャコフは、予選の独奏では柔らかで美しい素直な音楽的才能をみせたが、本選では思いがけないことにはチャイコフスキーの第一番において、もう一曲のリストの第一番においても演奏が何度も止まりそうになるほどのきわどいミスを犯し、それが取り返しのつかない大きな失点へと繋がった。私の個人的見解からいうならば、ムラロもツェリャコフも共に四位という判定はやや甘いように思える。

五位はチェコの少年アルダシェフとブルガリアの二十九歳になるクルシェフ、メルジャノフが「クスリでもやっているのではないか」と言った、あのピアニストである。彼の先生ガネフ教授はこのチャイコフスキー・コンクールの最古参審査員の一人でもある。クルシェフは、本選でチャイコフスキーの一番の他には、ラヴェルの「左手のための協奏曲」を演奏したが、その演奏ぶりについては私のお隣にいたスペインのアロンソ氏のささやき「この人は両手を使ってさえも上手く弾くことができないのに、なんで片手しか、それも左手しか使わない曲なんて選んだのでしょう」という一言を書き記すに留めよう。チェコのアルダシェフは大変に音楽的素質のある若者で、先が楽しみだ。

六位は米国のブッフネルと、キューバのロドリゲスが分ち合った。ロドリゲスの先生であるキューバのフランコ・フェルナンデス教授は今回審査メンバーの一人に加わって

いたが、モスクワ音楽院で学んだ経歴があり、そのせいもあってか、ロドリゲスのピアノもロシア音楽ではいきいきとした魅力を発揮した。そのフェルナンデス教授への餞けという気持もあったのかも知れない。ロドリゲスは六位の他に特別賞も授与されることとなった。

七位は、中国の孔祥東（コン・シャントン）、十二人のファイナリストの中では最年少の十七歳である。予選の独奏曲での好演ぶりから、本選では大いに期待を寄せられたものの、オーケストラとの協演未経験からくる心理的重圧感にとうとう徹底的にコントロールを失ってしまった。コンチェルトさえ余裕をもって弾きこなしていたなら、もっとよい結果に終ったことだろう。

八位は、ソ連の若者エロヒン一人に与えられた。テクニックは大変にあるが、あまり音楽的とはいえない。なお、唯一人残った米国のウォルフラムに対しては、ファイナリストとして本選に参加したという証書とでもいったところのディプロマが与えられることになった。

六月十日より始まった第八回チャイコフスキー・コンクール・ピアノ部門も、かくしてようやくいま終了した。私たちは立ち上って、入賞者たちに渡すことになっている表彰状にサインを書き記した。それから、階下の大ホールへと向った。ホールには深夜の

今なお沢山の聴衆がファイナリストたちを囲んで、審査結果の発表を待っていたのである。私たちがエシュパイ委員長を先頭にステージに戻ると、人々は待ちかねていたように歓呼と拍手で迎えた。そうした昂奮した人々の中に、私は突然バリー・ダグラスがあのいつもは不敵なばかりの表情を、すっかり蒼白く強張らせているのを目にとめた。さあ、これからわずか数分後に、彼は第八回チャイコフスキー・コンクールの優勝者として、世界の音楽界の注目を一身に集めることになるのだ。これからの彼を、幸運が見守ってくれますように……。

XI

コンクールの時代のクラシック音楽

39　優勝者の行方

こうして、六月十日から約一ヵ月にわたって開催されていた第八回チャイコフスキー・コンクールは、七月六日に終了した。続いて行われた授賞式およびゴルバチョフ書記長も出席しての受賞記念演奏会には、私は残念ながら次の仕事が控えていて慌ただしく帰国してしまったため、出席することができなかった。この受賞記念演奏会は、ピアノのみならずヴァイオリン、チェロ、声楽（男女）の各部門からの上位入賞者が出演し、大変長時間の演奏会となったようだが、しかし、ゴルバチョフ書記長は最後まで若い人人の熱演を楽しんでいる様子であったという。

それはさておき、このコンクールでの優勝により、英国のバリー・ダグラスには金メダルと賞金二五〇〇ルーブリが与えられる（そのうちの半分は外貨に替えてソ連国外に持ち出すことができる）と同時に、内外から少なからぬ出演依頼が舞い込んだであろうことは間違いない。

コンクール後ロンドンに戻った彼は、すぐさま凱旋公演を行って大変な人気を呼び、

それと同時にRCAでチャイコフスキーのピアノ協奏曲を吹き込んだ。このレコードはその後間もなく発売され、アメリカではヒットチャートに登場するほどの売れゆきをみせた。そして、優勝から半年とたたないうちに早くも我が日本のサントリー・ホールにもお目みえしたが、残念ながら彼の演奏は日本の聴衆にはあまり受け容れられなかったという噂を耳にした。このことをもって、日本の聴衆の質を云々するのは早計であろうが、どうやらここ当分は、日本からのアンコールのお誘いはかからないかも知れない。私は、他の諸国における彼のデビュー公演の結果を詳しくは知らないが、コンクールを通じての彼の演奏ぶりから推して、日本におけるのと同じような結果になった可能性も大きいと思う。

しかし、あわてることはない。私としては、バリー・ダグラスがこの優勝を契機に、むしろあせらずにじっくりと時間をかけて、豊かで美しい音楽を醸造していってくれることを願う。というのも、既述した通り国際コンクールが乱立し、年に何人もの各コンクール第一位入賞者が次から次へと世の中に送り込まれていくという現在の状況のなかでは、若いピアニストたちが落ちついて自らを熟成させることが難しくなり勝ちである。才能があって熱狂的にもてはやされれば、例のヴァン・クライバーンのように消耗させられる危険がある一方、人気を求めてあせって失敗すればたちまち忘れさられる可能性があるのだ。

ピアニスト本人のせいばかりではない。聴衆たちもまた、各コンクール入賞者たちを売り出すための話題作りが絶え間なく行われる結果、少々の話題性やキャッチフレーズや演奏内容では心を動かされにくくなり、その関心は移ろいやすく冷めやすいという形で、若い才能の成熟を長い目でじっくりと見守るという態度を失いがちになる。そしてその結果今日では、各コンクールの若い入賞者たちは、優勝者といえども、そのあと一、二年の間の活躍でしっかりと大きな印象を聴衆に与えない限りすぐ忘れさられ、うかうかしているとすぐ次の第一位が出現し、それと共に過去へと押しやられてしまうことにもなるのである。しかし、このような状況だからこそ、バリー・ダグラスに限らず若いピアニストたちにとって、あせらずじっくりと自らを熟成させることが何よりも重要となる、と私は信じる。

前に述べたように、今日では基本的に「優勝者」どころか「ピアニスト」が多すぎるという状況がある。つまり需要より供給の方が多い、コンサートよりもコンサートに出たいピアニストの数の方が上廻るのである。そこで例えば世界のメジャーオーケストラを仮に三十楽団とすると、その定期演奏会に必要なピアニストの数はせいぜい十四、五人、ヴァイオリニストは七、八人、チェリストに至っては二人で十分と、そんなことをまことしやかに説く者まで出てくる。

そしてつけ加えるならば、クラシック音楽のマネージャー、即ちインプレサリオたちが一般に冒険をしなくなったこともあげておこう。多数のコンクールによる才能発掘の地曳き網的効果に依存するためか、彼らインプレサリオたちは既にどこかでヒット商品として合格印を得ている者でなければ、まず手を出さないのである。インプレサリオたちは、自分を売込みに来たピアニストに必ずこう言うだろう。「あなたが天才で素晴しい音楽家であることは大変よく分りました。それなら、大コンクールに出場しても第一位間違いなしでしょう。まず第一位を獲っていらっしゃい。話はそこから始めましょう」と。

あの奇才ミケランジェリのような圧倒的なピアニストでさえも、ついてない時にはエリザベス・コンクールに優勝はおろか入賞さえできなかったりするわけだから、コンクールとは当てにならないものである、と分っているにもかかわらず。

近年、国際コンクールの席上でしばしばささやかれていることとして、大物の新人が見当らなくなったこと、一位が登場しても芸術家として大成しなくなったこと、などがあるということは既に述べた。今改めて思うことだが、若いピアニストが、乱立するコンクールという場で例の「プロフェッショナル・ファイナリスト」としてあちらで三位、こちらで二位と経験を積み重ねていく過程において、何か芸術家にとって大変に大切な

ものをすり減らしていっているということが確かにあるのではないだろうか。

今回のチャイコフスキー・コンクールにおいても、その甚だしい例として、世界の主だったコンクールを十数ヵ所受けて、みなそれぞれに二位や三位や六位や七位を獲得したというキャリアをもつ猛者がいた。しかしそれは彼の演奏の平均点の高さを示して人々を感心させる効果よりも、彼のピアニストとしての資質のなかで、何か決定的な魅力が欠如しているのではないかという疑惑、いや確証につながってしまうことになった。コンクールのヴェテランたちの演奏を聴く時、ふと私は、若い才能を聴く喜びよりも未来を憂う重い気持にさせられてしまうことがある。

クラシック音楽の普及とその大衆化は、情報網と交通手段が著しい発展をとげた第二次大戦後から急速に、そして広範囲にわたって国際コンクールの増加をもたらした。その結果、隠れた才能を持つ若いピアニストがもれなくその可能性を発掘され、世に出る機会を与えられ易くなったのは事実である。

しかしそれはその一方で例のコンクールのヒッチハイカーたちを生み、そしてかつては神秘的な霧の彼方に身を遠く置き、なにか普通の人とは違う世界と生命をもつ存在、時には神の愛《め》でし者或いは悪魔の申し子と思われることもあった芸術家のイメージを神話や伝説から引き離し、要するにドジも踏めば失敗も繰り返すごく当り前の人間として、

大衆の目に曝すことになった。

そういえば、チャイコフスキー・コンクールに限らず、国際コンクールの場における審査員たちの雑談に、まるで欲求不満の解消を求めるかのように実によく奇人変人のエピソードが持ち出されることに、私は改めて気がつく。かつてピアノ史に登場した巨人たちはそれぞれが、なにか尋常ならざるエピソードや伝説をもっていた。チャイコフスキーのピアノ協奏曲をまともに楽譜から勉強したこともないままに演奏会でオーケストラと弾いてしまったルービンシュタイン、夜行列車のなかでバッハのフーガを暗譜して、そのままいきなり完璧にコンサートで弾きのけてしまったギーゼキング、レッスンに来たマルタ・アルゲリッチをレッスンの代りに一年にわたってピンポンの相手にしたミケランジェリ……。コンクールの場には、私だけでなく期せずして多くの審査員たちにとって、何故かそういったミステリアスな芸術家たちがひどく懐かしく思えてくるような、或る種の「余りに現実的」な雰囲気がある。

しかし現実には、そう言っている間にも、世界の各地では相変らず大小さまざまな国際コンクールが開催され、「プロフェッショナル・ファイナリスト」や「ツーリスト」や「ヒッチハイカー」たちがその間をさまざまな想いを抱きながら、回遊魚のようにめぐっている。

40　「コンクールの時代」のピアニスト教育

クラシック音楽の普及と大衆化は、当然のこととしてその教育面にも巨大な影響を及ぼすこととなった。

まず第一に、音楽学校の増加であるが、これは良い教師の数不足とその一般的水準の低下をもたらした。そして、その結果起る大量の潜在的失業音楽家たちの出現、即ち音楽学校は卒業したものの音楽のプロとしては現実に自活していけない人々の大量の出現という現象。

米国を例にとってみるなら、戦後一般大学のなかに新たに音楽部を増設したところはかなり多い。そして、こうした音楽教育の場のほとんどは、その意図はどうであれ結果として、表現技術においても感受性においても、一級の演奏家を育てるためというよりはむしろ「音楽好きなアマチュア」を沢山生み出すところとなってしまった。そしてそういった、いわばプロの音楽家になり切れなかった人々が教師となってさらにアマチュアを増やしていくというパターンを作り出し、多くの大学がそれを支える形となった。例えばチャイコフスキー・コンクールに登場するアメリカや日本の「ツーリスト」たち

は、その多くがいうなればこのカテゴリーに属する人々である。

身近な我が国を考えてみると、年間に一万人を超すピアノ科卒業生が、全国のさまざまな音楽大学ないしは附属音楽部から社会に送り出されているが、当然のこととしてそのうちで「コンサート・ピアニスト」「独奏者」として立っていける者は、多くて一人か二人程度であろう。あとは、伴奏者、運良くてホテルのレストランなどでのBGM演奏者、そして学校の音楽教師や地方の楽器店の音楽教室の講師に就職できれば非常に恵まれた方で、それらも全体からいえばごく僅かといえるような状態であろう。

その次は、自宅で近所の子供たちを集めてピアノの先生をやるということになるが、近年は音大卒業生の増加に対して子供人口の減少が重なって、これもなかなか大変であるといわれる。つまり音楽大学は高額な学費をとっているにもかかわらず、年間におびただしい数の潜在的失業者を作り出しているわけになるのだが、これが社会問題にまで発展しないのは、その大部分が「いざとなればお嫁に行くつもり」の女生徒であるからだという説を、耳にしたことがある（これは余談だが、音大のピアノ科女生徒というのは、他の一般女子大生に比べて六本木だ赤坂だと遊び廻るチャンスが少ないという。程度はどうであれ一応毎週レッスンがあるし、そのためには毎日ある一定時間は家で練習をしなければならないし、休めば筋肉が衰えるため、夏休みなどもそう遊び呆けてはいられないからだ。その辺のマジメさを高く評価されて、近年、音楽大学とくにピアノ科

出身の女生徒は良い縁談に恵まれるのだそうである）。

このような音楽教育の場の拡大とピアノを学ぶ学生の増大が、その教育内容にも、一般教育における偏差値中心主義にも似た平均化をもたらしているのは、当然の帰結と思われる。そしてその結果が、遂にコンクールの場にも影響を与えて、前にも詳述したように、課題曲の選定から採点方法に至るまでの総花的な平均主義をもたらすことになったとも言えるのだろう。

今日では、このいわば天下の趨勢をいたずらに嘆くのはもはや時間の浪費とさえ思われる。世界中のコンクールが、「永遠のアマチュア」たちの発表会の観を呈したとしても、一面でそれは、クラシック音楽の裾野の拡がりの象徴とでもいうべきものなのであるから。

私はこの夏、スペインのパロマ・オシア・コンクールの審査に際して、他ならぬこれら国際コンクールの総元締めとでもいうべきジュネーヴ国際コンクール審議連盟会長のピエール・コロンボ氏と話す機会があった。彼は現在スイスに在住する指揮者で、実は私には二十年ほど前、彼と共にウィーンからブラチスラバにかけて演奏旅行をした思い出がある。

話題は、これまでに述べてきたようなコンクールの功罪をめぐって多岐にわたったが、

そのなかで彼が述べた次のような感想は、まことに印象的であった。彼は、どこのコンクールでも問題になる例の「プロフェッショナル・ファイナリスト」、「ヒッチハイカー」ひいては「ツーリスト」たちについて、きわめて同情的にこういったのだ。

「彼らは必ずしも優勝を狙ってくるわけではないのですよ。彼らのなかには、ただよい聴き手の前で演奏するチャンスが欲しくてくる、いわば永遠のアマチュア・ピアニストがいるんです。彼らには弾くチャンスがない。たとえあったとしても、よい聴き手、彼らが信頼するに足るような聴き手に聴いてもらうチャンスなど、全くない。コンクールにくれば、少なくとも審査員たちは真面目に聴いてくれますからね」

国際コンクールを、第一級の名コンサート・ピアニストを見出すための場と考えた場合には、こういった「プロフェッショナル・ファイナリスト」や「ツーリスト」は、その趣旨に反する問題児たちということになろう。しかし、ここで視点を全く変えてみるとどうなるか？ 誤解を恐れずに言えば、即ちコンクールの基本的性格を「素人のど自慢大会」風のピアニストたちの研究発表会とでも考えるのである。

私から見ると、ちょっと自虐的かつシニックな発想なのだが、事実審査員たちのなかにも同じような考え方で状況を観察している人々が既に少なからずいると思われる。彼らは真面目に誠意をもって若者たちの演奏に耳を傾けることに変りはないが、終始一貫実に淡々としており、採点に際して、まるでゴルフのスコアをつけていくかのように迷

うこともあきれることも慨嘆することもなく聴き進んでいく。あたかも、大衆化時代のコンクールにおいては、永遠のアマチュアが多数参加してくるのは当然のこと、と考えているかのように。

なるほど、もしそうとなれば、これまで論じてきた多くの現象もべつに騒ぐこととなく納得がいきそうだ。「プロフェッショナル・ファイナリスト」とか「ツーリスト」とかいうニックネーム自体からして既に時代錯誤となるわけであるが、そういったことの総決算としての（こんなピアニストたちを育ててコンクールに送り込んでくる）「先生たちはいったい何をしているのか」といった慨嘆も、ここではもはや起らない。何故ならこういったコンクールの現状は、コンクール自体の基盤となっている世界のピアノ教育の現状を正確に反映しているに他ならないのであるから、と。

ただ、視点をどう変えて考えようとも、第一級の演奏家になるためには、第一級の演奏家からその実戦体験をふまえた「企業秘密」の極意を学ぶ必要があることは動かし得ない事実である。それは、モスクワ音楽院を例にとるまでもないことだろう。モスクワ音楽院の思想はあくまで「第一線の現役の演奏家が教授となって、第一級の演奏家を育てること」にある。そしてそのシステムが、時代によって人材に多少の浮き沈みがあろうとも、現在も依然として他のどの国よりも質の高さと数の多さという点で圧倒的な成

功を収めてきていることは、各国際コンクール上位入賞者の国籍を見れば明白なことである。それゆえどこのコンクールにおいてもソ連代表というのは、開始前からほとんど別格扱いのような雰囲気となる。

演奏分野における教育とは、一般の学校教育とは当然全く違っていて、教える側と学ぶ側が一対一で向い合うきわめて個人的な雰囲気のなかで行われるうえに、学ぶ側が若く、従って感受性鋭敏な場合が多いので、教える側がもたらす人格的音楽技術的影響の度合は想像を絶するほど大きく、またその責任も重い。

技術の習得とは結局、先生と生徒の一対一の関係のなかで、あたかも親鳥が雛に口移しで餌を与えるのにも似て、一つ一つ手をとり足をとりされながら身につけていく性質のものであって、音楽学校や音楽学生の増大といった量の問題によって変るはずもない根本的なものに他ならないのだ。

41　日本の場合

一九八七年は、日本に唯一つ存在する国立の音楽教育機関、東京芸術大学が東京音楽取調所から東京音楽学校に改称されて、ちょうど百周年目に当った。それはとりも直さ

ず、日本における西洋音楽の百年史でもある。

そしてこの宮内庁軍楽隊の鼓笛の合図と共に始まった我が国の西洋音楽史の百年は、その「百年間」のたかだか最後の十五年ほどで、完全に「音楽的後進国」の域を脱し、今日の西欧クラシック音楽界のうちに、一つの存在感を築き上げるに至った。我々には西欧クラシック音楽の伝統は全くなかったが、その代りに唐天竺の優れた文物を輸入し吸収してきた永い伝統があり、この伝統のもとでは舶来崇拝主義、教養主義さえ驚異的飛躍のための原動力として働いた。丸暗記主義が、とりあえず異文化の技術を身につけるに当って、何よりも手取り早く重宝な方法であることは、日本におけるクラシック音楽演奏を見れば、良くも悪くも良い証明となるだろう。

付け加えるならば、例えばいま、ウィーンのピアノの先生のなかで最も高い評価を受けているのは、ウィーンっ子でもオーストリア人でもボヘミア人やマジャール人でもなく、インドや日本のピアニストたちであると聞く。「本場」に憧れてはるばるフランスやオーストリアやドイツにまでやって来てはみたものの、つまるところ日本人の先生からレッスンを受けることとなってしまった、という例は、（留学生たちはあまり話したがらないが）結構ある話なのである。これは、言い方を換えれば、舶来崇拝主義、教養主義、そして丸暗記主義で私たちが到達し得ることは、今日ほぼ成就してしまった、ということであろうか。

とはいえ、この日本からこうした精神的土壌を完全に取り去るのは難しいであろう。具体的にいえば、ベートーヴェンを弾くにはドイツ語を話し、その地に住んで、できる限りドイツ人になり切らねば本当の理解ができない、といったようなコンプレックスと偏見の混り合った不思議な考え方さえいまだに根深い（それならば、シベリウスを弾くのにフィンランド語を学ばなくっちゃならないか？　とまぜっ返したヴァイオリニストの友人がいる）。武満徹の作品を欧米の人が演奏するに当って、まず日本語を身につけ、さらに武満の生活している所（この際は東村山市か）で生活をする必要がある、などと誰かが助言したら、当の武満氏は恐らく当惑されるのではないだろうか。

もちろん、現実問題として私たちがバッハやモーツァルトやショパンやラヴェルを演奏している限り、「本場」の西洋というものは常に意識下に存在する。この「西洋」「本場」という意識を捨て去ることもなくまた否定することもなくそこから自然に自由になるには、世界中のピアニストたちがそのレパートリーに欠くべからざる重要な作品として競ってとり上げるようなピアノ作品が、この現代日本から続々と出現するのが何よりなのだが、それは音楽史全体の流れのなかにおいて見る時、きわめて困難な期待であるかも知れない。

というのは、当然のことながら、作品というものはそれ単独では発生し得ない。例えばピアノ音楽についてふり返るならば、少なくとも過去においては、作曲理論、その表

現手段としての楽器、そして演奏技法、という三者が常に互いを刺激し合い引っ張り合いながら名作を生む、という形でその頂点に達している。即ち今日のピアノ界では、今までに何度も繰り返し述べてきたとおり、その演奏曲目の中心は圧倒的に十七世紀から十九世紀の作品によって占められているが、それらは言い換えると、鍵盤楽器の発達とその完成への過程の魅力を溢れさせた作品といえる。現代において、この過去の数々の作品を乗り越える魅力と説得力を持つ作品を生むためには、既に発掘され尽してしまっていると思われているピアノという楽器の機能とその演奏技法から、想像もつかなかったような新しくしかも普遍性をもった魅力を引き出さねばならない、ここに現代のピアノ作品の宿命ともいうべき厳しい課題がある。

ただしこれは日本ばかりの問題ではない。先に私は、その先祖にバッハやショパンやチャイコフスキーをもってしまった国の音楽家たちの悩みという言い方をした。これを言い換えるなら、私は、先立つ天才の傑作群とその伝統を抱えた「本場」より、むしろ「非本場」の日本にこそ、新しいメソッドを胎《はら》んだピアノ曲の名作が誕生する可能性を夢見ているのである。

改めて言うまでもないことであるが、この十数年間における日本のクラシック音楽の飛躍を支え、対外的にその存在感を確立したものは、日本の経済力と世界における政治

的発言権、影響力の増大に負うところが大きい。

東京オリンピック、大阪万博という、大国日本へのシンボリックな出発点、そして外貨の自由化以降、世界の一流アーティストがどっと日本に流れ込んできて、ここから事実上日本の西洋音楽への第二の開国、即ち本格的な普及と大衆化が始まったわけだが、こうした過程を辿りつつ、とにかく日本は今日ニューヨーク、ロンドンなどと並んで世界最大の音楽市場の一つへと大きく発展した。円高が騒がれている今日、例えば今年一九八七年の十月十六日から十一月十六日までのたった一ヵ月間に日本国内の主要都市で上演されるクラシックの演奏会は、実に六七四回にも達する。そのうち外来演奏家の演奏は二四五回である。東京だけをとり上げてみると、一ヵ月に二五四回を数え、単純計算でいけば都内では毎日休みなく、平均八種類のクラシック音楽の演奏会が開催されていることになるのだ。

今や日本の全国津々浦々、急行や特急の停まる町には必ず市民会館、県民ホール、文化センターといった会場があり、しかも小さくて名前も知らないような町にほど、最新の設計で音響の美しくしかもセンスのよいデザインのホールが、私たちを待ち受けている。そしてそれらのホールには、必ずと言ってよいほど素晴しいピアノが備えつけられてある。まったくのところ、世界広しといえども、現代の日本ほど沢山いいホールがあって、そのどこにもかしこにもスタインウェイのピッカピカのコンサートピアノが収め

られている国など、他にあるだろうか。

単に量的な大市場というだけではない。質的にみても、例えばチャイコフスキー・コンクールと関係深いロシアン・ピアノ・スクールを考えたとき、一九八六年のわずか半年の間に私たち日本人は実に稀有な音楽体験を味わうことができた。すなわち、十九世紀ロマンティシズムの最後の巨匠ホロヴィッツ（六月）、現代ソヴィエトの生んだ最高峰リヒテル（十月）、そのあとに従うガブリロフ（六月）、クライネフ（十一月）といったチャイコフスキー・コンクールの過去の優勝者たち、そして現役学生のブーニンから神童キーシンに至るまでの、いうならばロシアン・ピアニズムにおける各世代の代表者を、日本に坐したまますべて耳にすることができたのだ。

こうしたことは、何故かニューヨークでもロンドンでもパリでも起らないのであって、音楽市場としての日本は、世界のどこよりも東欧西欧双方の第一級演奏家をふんだんに享受することができるという、極めて特異で恵まれた立場にいることがよく分る。

そして、この顔ぶれを聴くことは、とりも直さず十九世紀に成熟した西欧クラシック音楽の正統を、いわば「博物館的」に温存した観のあるロシアン・ピアニズムの一世紀――実質的には十九世紀末から二十一世紀へかけての生きた歴史を、時間的に一気に濃縮して味わったことにも等しい。またそれは、視点を変えると、十九世紀に成熟をみた西欧文化のひとつ、ピアノ音楽というものが、二十世紀において最も革新的とされた思

想に基く社会のなかでこそ最も「コンセルヴァティヴ」に存続し得たという一種逆説めいた事実の確認ともなったことであろう。

そして更に、そうした各世代のピアニストのなかで最も若く、次の時代を担うキーシン少年のなかに、二十一世紀のピアノ演奏芸術というものについての全く新しい展開ではなく、むしろ二十世紀を飛び越した「先祖帰り」のような、十九世紀ロマンティシズムへの回帰の予兆を聴いたことも実に興味深いことではないだろうか。

そして、これほど世界中からトップクラスの演奏家が頻繁に訪れてくるようになると、日本、殊に東京の聴衆に質の変化が現れてくるのは、当然のことであろう。著しい特徴は、クラシック音楽に対して戦前戦中派のように身構えたり、あるいは畏まったりすることがなくなってきた、ということだ。

もちろん、東京のような大都会では集まってくる人々の価値観は百人百様であるから、単純に断言することには常に危険がつきまとう。しかし、ピアノを弾いたりあるいはギターを片手に自作のフォークソングを歌ったり、というような個人的音楽体験をもち、さらにそれを単に教養主義的な観念からではなく、ごく自然な心の要求として愉しむことのできる世代が確実に増えてきている。ソニーやホンダや海外旅行でさり気なく育った世代は、西洋文明に対する肩ひじを張ったコンプレックスも少ないであろうし、音楽

を教養主義からよりも一種の娯楽主義からとらえることさえもいまや自然にできるのではなかろうか。そして、そのような若い世代が育っていくなかで、やがて私たちはクラシック音楽に対するこれまでの日本特有の精神的土壌から自由に解き放たれて、より自然で精神的な深いところから、人類の生んだ素晴しい芸術の一つとしてクラシック音楽とつき合うことができるようになるのかもしれない。

ここで一つの仮説として、必ずしも自虐的ではなくこう言うこともできよう。この近代百年のとりあえずの成果として、現在の日本人は西洋クラシック音楽の「鑑賞者」またはは「享受者」としては、ついに世界一流のレベルに達しつつある、と。自虐的ではなく、と言うのは、およそ音楽にとってよき「鑑賞者」よき「聴き手」を持つことは、その未来のための最も大切な基盤となるからである。もし日本人がクラシック音楽の鑑賞者として一流になれば、それが新しい作曲家はもとより演奏家を生み育てるための豊かな母胎ともならぬはずがない。

今の日本の音楽家およびその見識（市場としての意味も含めて）が世界のクラシック音楽界のなかで置かれている位置は、ちょうど世界で有数のよい音響をもっているとされているウィーンの古い音楽会場ムジーク・フェラインに対する、出来て一年のサントリー・ホールの存在にも似ている。即ち、ムジーク・フェラインに比べて遜色ない音響

を有してはいるが、伝統と権威がまだ確立していない、ということである。即ち、日本が世界有数の音楽市場となり、一ヵ月に二五〇回もの外国の演奏家の公演（そのなかには、例のベルリン・オペラによる巨大なワグナー楽劇もあれば、いくつものオーケストラによる公演もある）を可能とする経済的背景があるにもかかわらず、クラシック音楽界全体から見た場合、日本での大成功は、即ちそこで得たギャラ以上の意味をもたないといった、私たちから見ればまことに残念な結果がそこにはある。

先の筆法で言えば、日本はクラシック音楽の「鑑賞者」または「享受者」としては一流レベルに達しつつあるといっても、あくまでそれは消極的な意味であって、本来のよき「鑑賞者」としての積極性を残念ながらいまだ持つに至っていない、とでもいえよう。残念ながらというのは、強大な経済力をもつ今こそ、日本がその少なくとも「鑑賞者」としての積極性を獲得するためのチャンスだからである。考えてみれば、日本は一見クラシック音楽の市場としてきわめて開放的であるようにみえて、実は「外来」演奏家たちを一過性の旅人、「出稼ぎ」芸術家としてしか扱わない閉鎖性を自らもっているのではないだろうか。

例えば、日本を代表するオーケストラとされるＮＨＫ交響楽団の次期音楽総監督に誰を迎えるか、マゼールかジュリーニかシノーポリか、といったことが世界の楽壇スズメたちの話題となり、その結果如何《いかん》が重大な関心の的となるといったことが日常的に起る

ことが、日本の市場が積極性を獲得することの具体的例であろうが、これは月間二五〇回もの外来演奏家の公演を招き得る経済力の使い方次第では、必ずしも夢物語ではない。イギリスそしてアメリカにおけるクラシック音楽市場の発展の歴史が語っているところである。

もちろんそこには、英米とは比較にならない極東の日本という距離の問題もあるだろう。そしてまた、ここで述べたすべてのことの背景として、いってみれば音楽的新興国である黄色人種の国日本を、一つの権威として容易には認めないとでもいった、いわゆる「本場人」たちの心理もひそんでいるかもしれず、事は単純ではないだろう。しかし、ニューヨーク・東京間を二時間でつなぐ超音速機の計画が二十一世紀には具体化されるのもまた、現代なのである。

モスクワ・ゲルツェン通りのチャイコフスキーの銅像のまわりから、万国旗も片づけられ、人々の姿も消えた。音楽院はこれから本格的な夏休みに入る。

四年後の一九九〇年には、夏にチャイコフスキー・コンクールが、秋にはワルシャワでショパン・コンクールが開催される。私は多分、そのどちらかに行くことになると思うが、そこで日本人の優勝者に金メダルが渡される光景を見ることになるだろうか。

あとがき

一九八二年の第七回チャイコフスキー・コンクールに審査員として招かれた時、私は一瞬とまどった。一ヵ月近い時間と審査に要するエネルギーは、コンサート・ピアニストにとって相当に苛酷なものと思われたからだ。

しかしチャイコフスキー・コンクールの審査に参加してみて私は、思いもかけなかった刺激がそこにあるのを見つけた。恐らくはピアニストとして、特に日本人ピアニストとして私の中に育まれてきたさまざまな問題意識に応じるものが、ちょうどそこにあったのかもしれない。

本書『チャイコフスキー・コンクール』は、私が一九八六年夏の第八回チャイコフスキー国際コンクール・ピアノ部門の審査を終えて帰国したすぐあとから書き始め、『中央公論』誌上に一年以上にわたって連載した。連載回数はちょうど十二回だったのだが、途中で海外での演奏旅行やコンクールの審査などによる中断があって、思いのほか時間

が経過してしまった。

そのため、本文中時間の記述等に少し読みにくいと思われる点もあるのだが、書いていた時の私の「思い入れ」も忘れ難くて、極端なもの以外はそのままにしておいた。

他にも、連載終了後のわずか一年たらずの間に、クラシック音楽とりわけソ連におけるクラシック音楽の世界には、さまざまな変化が起った。今年一九八八年春には、モスクワに対抗するレニングラード派の象徴的存在であった巨匠ムラヴィンスキーが世を去った。夏にはブーニンが亡命したことは新聞でも大きく伝えられたし、続いてランダルも亡命した。そしてその一方では、ゴルバチョフのペレストロイカは、経済面よりも伝統芸術ことにクラシック音楽の世界に最も大きな変化をもたらしている。

ブーニンたちの亡命とはむしろ逆の方向に、ロストロポーヴィッチやヌレイエフを初めとするかつて亡命したソ連芸術家たちの「帰国」演奏会あるいは公演が熱狂的に迎えられ、更にもっと構造的な変革として、これまでソ連文化省及びゴスコンセルト（国営マネージメント）が一手に握っていたマネージメントの権利が、西側同様の私的エージェントの手に委ねられることになり、ソ連の演奏家たちの海外への窓が大きく開かれることになった。

「コンセルヴァトワール」に象徴されるクラシック音楽とりわけピアノ奏法の伝統とその価値基準が、これまでのソ連の一種の閉鎖性のうちにあってこそ却って最もよく守ら

れてきたことは本文中に述べた通りだが、それがこのペレストロイカによる自由化で、ソ連の内外にどのような変化をもたらすのか。日本を含む「非本場」国の台頭も併せ考える時、ピアノだけでなくクラシック音楽の国際的将来について改めて考えさせられる。

なお本書の執筆に当っては、音楽の諸先輩はもとより、多くの方々からのご助言ご協力を頂いた。とりわけ、時間もかまわぬ国際電話を通じての問合せや質問にも熱心に応えて下さった、チャイコフスキー・コンクール審査員仲間を初めとする関係者の方々、そしてハロルド・ショーンバーグ、ブライス・モリソン、ピエール・コロンボなどの諸氏に心からの御礼を申し上げる。

また最後になってしまったが、不慣れな私を叱咤激励、というより、そもそも演奏家というのはおだてられるとやたらと張切る点をよく承知なさって励まして下さった、嶋中鵬二ご夫妻を初めとする『中央公論』の近藤大博、石川昴の両氏、さらには本書の出版を担当なさった平林敏男、松室徹の両氏にも改めて御礼を申し上げたい。

昭和六十三年十月十八日

中村紘子

解説

吉田秀和

みんなはどう思っているか知らないが、私の見るところ、音楽界には筆の立つ人がすくなくない。作曲家でいうと、柴田南雄さん、武満徹さん、数年前亡くなった小倉朗さん、この三人など、それぞれ独特の良さをもった名文家である。同じ日本語を使って、よくぞこんなに他人と違った、しかもおしなべてすばらしい文章を生むことができるものだと感心する。あげようと思えば、ほかにもまだいるだろう。

その中で、女性の音楽家でいうと、まず中村紘子さんが断然光っている。これは、かなり前からの私の感想でした。

その中村紘子さんがチャイコフスキー・コンクールの審査員としてソ連にいった時の話を『中央公論』に書いた。連載の第一回が発表されたのは一九八六年十月号だったが、これを読んだ時すぐ、私はどうやら楽しみなことになったぞと直感したものである。この期待は連載の最後まで裏切られることがなく、本になって読み直したあとでは、もっとおもしろくなった。これはチャイコフスキー・コンクールをめぐる内幕ものというだけでなく、また八〇年代末のソ連の音楽界の事情をかつてないほど生き生きと知らせて

くれる報告というだけでもなく、もっと広い意味での人間の歩みの記録の一齣として、類の少ない読みものである。

チャイコフスキー・コンクールがどんなものかは改めて書くまでもないだろう。これは今では星の数ほどある世界中の音楽コンクールの中でも、とびきり高い水準の行事といっていい。ここでの優勝者からは——全部ではないけれど——演奏の歴史に新しい頁をひらいた人材が何人も出てきている。

と同時に、これは、そもそもの創設が《雪どけ》と一致しており、第一回の優勝者に、それまで全く無名だったアメリカの青年、ヴァン・クライバーンが選ばれたという事実が示しているように、はじめから世界の政治の動きと、かなり生臭い関係で結ばれてもいたのである。けれども、クライバーンが彗星のように世界楽壇に登場してきたにもかかわらず、そのあと数年もしないうちに、影の薄い存在になってしまったように、《雪どけ》も登場のはなばなしさにくらべて、どこかあいまいで、行方のはっきりしないものになったのに反し、チャイコフスキー・コンクールは、ほかのコンクールにはない一抹の不思議な謎を感じさせながらも、ソ連が生んだ世界的音楽行事として、生きのびてきた。中村さんは、そこに、読んでいて、ハラハラすることがなくはないくらいの鋭敏な率直さ、歯に衣を着せない直接法でもって、彼女の見聞したこと、彼女の感じたこと、彼女の考えたことを書き連ねる。

私は、ずっと前——七〇年代の初めに東欧の幾つかの国を駆足で旅したことがあったが、その途中、ユーゴスラヴィアによった時、そこの「有力な音楽家」に呼ばれて食事をしたことがある。その時、彼は、すごくうまいチーズと白ぶどう酒を御馳走してくれる間に、だんだん上機嫌になり、本当か冗談かわからないような「社会主義国によくある」ウィットにとんだエピソードをいくつも話しだした。私はむしろ遠慮したかったのだが、相手はつぎからつぎととめどなく話し続ける。その中の一つに、モスクワのバレー・コンクールに審査員として選ばれて参加した時の話があった。

「あの国は、テーブルについた時の話と、二人っきりの散歩に誘われて、人気のない公園の小径できかされる話とでは、まるで違ってくるのです。テーブルでは審査はあくまでも厳正公正なのだが、散歩となると、このつぎの予選では誰と誰に、つぎの予選では誰、本選では誰と、はじめっから投票先がきまっているも同然の話になる。相手の名前を何回もくりかえし、いいか、忘れるなよ、間違えるなよといった言葉をまぜながら……」

もちろん、中村さんがこんなことをしたなんて考えられないが、彼女の記事を読んでいると、この時の話がどうしても思い出されてくる。もちろん、中村さんの時は、もう、違っている。しかし、内容は別でも、内輪話をきいたり、内幕ものをしゃべったりする楽しさ、おもしろさ、その時の興奮した気分は、これを読んでもはっきり目にみえるよ

うに浮かび上ってくる。内緒話をしたり、きいたりする楽しさは、どんな社会にも存在しているのだろうが、秘密主義の国ほど、おもしろい内幕ものが生まれ、曝露すれすれのところであれこれのテクニックを駆使するよろこびと興奮を味わう機会が多くなるのではあるまいか。そのうえ、私の知る限り、音楽家という人種が、仲間うちでの内緒話が大好きなことは、洋の東西、時代のへだたりを越えて、共通しているものらしいのである。

この『チャイコフスキー・コンクール』にも、そういう性格がある。そのうえ、中村さんは、あのよく動き、キラキラ光る眼が示しているように、実に鋭い観察者であり、ものごとをうっかり見逃したり、ぼんやり見過したりすることのできない人種に属する。それに、この人は音楽家。当然、耳も良い。目に見えないもの、見にくいものも、彼女の耳は敏感にキャッチする。そうして、彼女は、そうやって目と耳に入ったものを、あいまいにしたり、かくしだてしたりしないで、正確な言葉遣いで、書きおろす。

彼女の演奏は、音の一つ一つをきちっとした輪廓をもつ響きとしてゆくのを原則としている。彼女の文章も同じような趣きをもつ。彼女の書いたものには、何をいっているのかよくわからないような言葉の使い方はみられない。

彼女は、ピアノの名手であると同じくらい、文章の名人であり、恐ろしく才能にめぐまれた人、つまり才女である。

こういう人をチャイコフスキー・コンクールの審査員として招聘した時、ソ連の人たちは何を考えていたのか、私はもちろん知らない。彼女がどんなに恐ろしい才女であるか、あんまり考えないで呼んだとしたら、これはむしろ、ソ連のペレストロイカ、グラスノスチの生易しいものでない証拠として、慶賀すべきことかもしれないのである。かつてなら、審査員を委嘱する時は、ひとりひとりきびしく検査、検討したであろうから。

果して、彼女は、学者先生たちのような、社会主義と資本主義の戦いで本当に勝ったのはどちらであるか？　といった話には深入りしない。また、平素何にも勉強していない分野のことでも、何かことが起ったとなると、ソレッとばかり現場にとびこんでいって、「臨場感」にみちた情景をなまなましく報道するといったマスコミのそれとはちがう視点とやや推理小説めいたタッチでとらえたソ連像を、読者に、与えてくれる。彼女が——音楽と文章という——二つの分野で、平素から専門の技術と天与の才能をしっかり身につけ、きちんと開拓してきたからである。

ソ連の音楽界の現実をこれほどの迫力とリアリティでもって書き伝えている文書は、日本だけでなく、——私の乏しい知識をもって言わせて頂ければ——世界的にみても、珍しいのではないだろうか。

本書では、まだ、つきつめた表情にまで至ってはいないけれど、彼女のソ連の音楽界

の現状分析と将来の予想は、相当暗いものになっている。このあと、彼女が『中央公論』の一九九〇年九月号によせた「ピアニストが聴くペレストロイカ」に至っては、それはほとんど不可避の崩壊への危機感にまで深まっているといっていい。十九世紀に始まって、二十世紀にわたる世界の音楽界に果したロシア＝ソ連の音楽家たちの輝かしい業績を考え合わせてみると、暗澹たる気持になるのは、私だけではないだろう。ソ連の音楽界、音楽教育界が大きく崩れたら、それは世界にとっての巨大な損失——というより、とりかえしのつかない危険となる可能性を含んでいるのである。

でも、かつての「レーニン革命」の時もロシアの音楽界は深刻な危機を迎え、大きな分裂とそれにともなう衰弱の時期を経験しただろうに、それは、ロシア音楽の最も優秀な人材が祖国を離れ、アメリカやヨーロッパなどに新しい生活を求めていったことによって、結局、世界の音楽界にとって計りしれないプラスになったという事実があるのである。それを思うと、今度の激動、激変も、目下はどんなカオスとカタストローフの形をとっていようとも、結局は、何らかのプラスとなって、生きかえり、再評価される日がくるのかもしれない。

中村さんのような現実に密着したソ連社会についての報告と判断を読んでいると、こうであればこそ、かえって、このロシア＝ソ連には、昔の中国の賢者のいった「身を殺して仁を為す」という奇蹟のような事業が、もう一度起り得ないものだろうか？　そん

なことはもう二度とくりかえされないというのは気の早い話ではないかしら？　と、つい、考えてみたくなるのだが、どうかしら。

『チャイコフスキー・コンクール』一九八八年十一月　中央公論社刊

中公文庫 ©1991

チャイコフスキー・コンクール

一九九一年一〇月二五日印刷
一九九一年一一月一〇日発行

著者 中村紘子

発行者 嶋中鵬二

整版印刷 三晃印刷
カバー トープロ
用紙 本州製紙
製本 小泉製本

発行所 中央公論社
〒104 東京都中央区京橋二―八―七
振替東京二―三四
ISBN4-12-201858-7
Printed in Japan

風雲回顧録　岡本柳之助／平井晩村編
児玉大将伝　杉山茂丸
自叙益田孝翁伝　長井実編
高橋是清自伝（上下）　高橋是清／上塚司編
一老政治家の回想　古島一雄
蘇翁夢物語 わが交遊録　徳富猪一郎
回顧録（上下）　牧野伸顕
回顧七十年　斎藤隆夫
安田善次郎伝　矢野竜渓
自伝点描　馬場恒吾
人材水脈—日本近代化の主役と裏方　小島直記
社会廓清論　山室軍平
廃娼ひとすじ　久布白落実
娼妓解放哀話　沖野岩三郎
平民社時代　荒畑寒村
竹久夢二　青江舜二郎
狩野亨吉の生涯　青江舜二郎
畜生道の地球　桐生悠々
城下の人　石光真清
曠野の花　石光真清

望郷の歌　石光真清
誰のために　石光真清
青春日記（上下）　大宅壮一
異国遍路旅芸人始末書　宮岡謙二
お遍路　高群逸枝
貢太郎見聞録　田中貢太郎
明治世相百話　山本笑月
明治大正見聞史　生方敏郎
明治メディア考〈対談〉　加藤秀俊／前田愛
三陸海岸大津波　吉村昭
世界の大災害　金子史朗
東京灰燼記 関東大震火災　大曲駒村
東京埋蔵金考　角田喜久雄
江戸の坂 東京の坂（正続）　横関英一
中山道を歩く　児玉幸多
揚子江は今も流れている　犬養健
上海時代（上中下）—ジャーナリストの回想　松本重治
日本軍閥暗闘史　田中隆吉
敗因を衝く—軍閥専横の実相　田中隆吉
陸軍省軍務局と日米開戦　保阪正康

占領秘録　住本利男
朝鮮戦争　神谷不二
太平洋戦争（上下）　児島襄
秘録 東京裁判　清瀬一郎
自滅の戦い　渡辺銕蔵
わが囚われの記—第二次大戦と中南米移民　天野芳太郎
キナバルの民—北ボルネオ紀行　堺誠一郎
ゾルゲ事件 尾崎秀実の理想と挫折　尾崎秀樹
ドイツ参謀本部　渡部昇一
アーロン収容所　会田雄次
アーロン収容所再訪　会田雄次
敗者の条件　会田雄次
流れる星は生きている　藤原てい
果てしなき流れのなかに　藤原てい
三十八度線　佐々木祝雄
墓標なき八万の死者—満蒙開拓団の壊滅　角田房子
甘粕大尉　角田房子
真珠湾メモリアル　徳岡孝夫
太陽と砂漠の国々—ユーラシア大陸走破記　徳岡孝夫
六機の護衛戦闘機　高城肇

泡沫の三十五年 —日米交渉秘史　来栖三郎
太陽にかける橋　グエン・テラサキ　新田満里子訳
東京焼盡　内田百閒
広島原子爆弾の手記 絶後の記録　小倉豊文
焼跡少年期　吉岡源治
敗残の記 玉砕地ホロ島の記録　藤岡明義
決定的瞬間　岩川隆
裏切られたベトナム革命　友田錫
近衛内閣　風見章
陶庵随筆　西園寺公望　国木田独歩編
細川日記（上下）　細川護貞
細川護貞座談 —文と美と政治と　細川護貞
外交官の一生　石射猪太郎
外交五十年　幣原喜重郎
外交六十年　芳澤謙吉
時代の一面 —大戦外交の手記　東郷茂徳
日米外交三十年 —安保・沖縄とその後　東郷文彦
岡田啓介回顧録　岡田啓介　岡田貞寛編
侍従長の回想　藤田尚徳
人間中野正剛　緒方竹虎

大磯随想　吉田茂
吉田茂　今日出海
悲劇の将軍 —山下奉文・本間雅晴　今日出海
吉田茂とその時代（上下）　ジョン・ダワー　大窪愿二訳
マッカーサーの二千日　袖井林二郎
拝啓マッカーサー元帥様 —占領下の日本人の手紙　袖井林二郎
スターリン獄の日本人 —生き急ぐ　内村剛介
特攻体験と戦後〈対談〉　島尾敏雄　吉田満
ある昭和史 自分史の試み　色川大吉
戦争私書　室伏高信
昭和 東京 私史　安田武
おやじの昭和　遠藤一夫
満鉄厚生船の最期　深瀬信千代
ニュースカメラマン —激動の昭和史を撮る　藤波健彰
失敗の本質　戸部・寺本・鎌田・杉之尾・村井・野中
清朝の王女に生れて —日中のはざまで　愛新覚羅顯琦
辻の華 くるわのおんなたち　上原栄子
遺された妻 BC級戦犯秘録　上坂冬子
女の胸算用　上坂冬子
女たちの数え歌 —奄美の原爆乙女　上坂冬子

妻たちの二・二六事件　澤地久枝
私のスイス　犬養道子
アウトサイダーからの手紙　犬養道子
日本人が外に出るとき　犬養道子
クラウゼヴィッツ —『戦争論』の誕生　P・パレット　白須英子訳
愛　J・ミシュレ　森井真訳
政治学の任務と対象　蠟山政道
危機の構造 —日本社会崩壊のモデル　小室直樹
未来の衝撃　A・トフラー　徳山二郎訳
エコスパズム —発作的経済危機　A・トフラー　福島正光訳
第三の波　A・トフラー　徳岡孝夫監訳
未来適応企業　A・トフラー　徳岡孝夫訳
ザ・ライト・スタッフ　トム・ウルフ　中野圭二・加藤弘和訳
宇宙からの帰還　立花隆
脳死　立花隆
脳死再論　立花隆
エコロジー的思考のすすめ —思考の技術　立花隆
ベルクソンの科学論　澤瀉久敬
アンリ・ベルクソン　澤瀉久敬
土地と日本人〈対談集〉　司馬遼太郎

日本人と日本文化〈対談〉　司馬遼太郎　D・キーン
人間について〈対談〉　司馬遼太郎　山村雄一
日本の星　星の方言集　野尻抱影
日本妖怪変化史　江馬務
日本の幽霊　池田彌三郎
民話の思想　佐竹昭広
萬葉古徑　一—三　澤瀉久孝
芭蕉　安東次男
與謝蕪村の小さな世界　芳賀徹
随筆　柚の木　川瀬一馬
随筆　蝸牛　川瀬一馬
雪日本　心日本　高田宏
ことばのある暮し　外山滋比古
ことばの四季　外山滋比古
ことばの力　外山滋比古
本のなかの本　向井敏
大正期の文藝評論　谷沢永一
森鷗外覚書　成瀬正勝
追想　芥川龍之介　芥川文　中野妙子記
年譜　宮澤賢治伝　堀尾青史

わが荷風　野口冨士男
私のなかの東京—わが文学散策　野口冨士男
倚松庵の夢　谷崎松子
湘竹居追想—潤一郎と「細雪」の世界　谷崎松子
谷崎文学と肯定の欲望　河野多恵子
長谷川伸論　佐藤忠男
秋艸道人随聞　宮川寅雄
父　西條八十　西條嫩子
茂吉の周辺　斎藤茂太
北杜夫の文学世界　奥野健男
川端康成—精神医学者による作品分析　栗原雅直
立原正秋　風姿伝　鈴木佐代子
物語の女　モデルたちの歩いた道　山本茂
アルファベット26講　谷川俊太郎
対談　現代詩入門　大岡信　谷川俊太郎
対談　日本語を考える　大野晋編
日本語で一番大事なもの　大野晋　丸谷才一
ことばの四季報　稲垣吉彦
笛鳴りやまず—ある日の作家たち　有本芳水
スペイン語入門　井沢実

英語のなかの歴史　バーフィールド　渡部・土家訳
こんなふうに英語をやったら？　加藤恭子
アメリカン・ユーモア　加島祥造
文明開化の英語　高梨健吉
津田梅子　吉川利一
書物の解体学　吉本隆明
本の神話学　山口昌男
歴史・祝祭・神話　山口昌男
雪片曲線論　中沢新一
野ウサギの走り　中沢新一
ハリウッドの黄金時代　川本三郎
ネヴァーランドで映画を　川本三郎
主体の変容　現代文学ノート　三浦雅士
グローイング・アップ　R・ベイカー　麻野一人訳
ボブ・グリーンの父親日記　ボブ・グリーン　西野薫訳
チャリング・クロス街84番地　ヘレーン・ハンフ　江藤淳訳
ペンギン・ブックス—文庫の帝王A・レイン　モーパーゴ　行方昭夫訳
都市回廊　長谷川堯
隠れた秩序—二十一世紀の都市に向って　芦原義信
アール・ヌーボーの世界　海野弘

モダン都市東京 ―日本の一九二〇年代　海野弘
ルネッサンスの光と闇 ―芸術と精神風土　高階秀爾
戦国明暗二人妃　渡辺一夫
エリザベスとエセックス 王冠と恋　L・ストレイチー 福田逸訳
女帝エカテリーナ(上下)　H・トロワイヤ 工藤庸子訳
大帝ピョートル　H・トロワイヤ 工藤庸子訳
アレクサンドル一世　H・トロワイヤ 工藤庸子訳
ドストエフスキー伝　H・トロワイヤ 村上香住子訳
ドラキュラ伯爵　N・ストイチェスク 鈴木四郎・学訳
チャウシェスク銃殺 その後　鈴木四郎
狂王ルートヴィヒ ―夢の王国の黄昏　ジャン・デ・カール 三保元訳
麗しの皇妃エリザベト　ジャン・デ・カール 三保元訳
ジャンヌ・ダルク　J・ミシュレ 森井・田代訳
最後のロシア大公女 マーリヤ　マーリヤ大公女 平岡緑訳
ロマノフ家の最期　サマーズ／マンゴールド 高橋正訳
帝政末期のモスクワ　ギリャロフスキー 村手義治訳
わが放浪 わが出会い ―帝政末期のロシア人　ギリャロフスキー 村手義治訳
知られざるフリーメーソン　S・ナイト 岸本完司訳
山師カリオストロの大冒険　種村季弘
ボルジア家 ―悪徳と策謀の一族　M・ジョンソン 海保真夫訳

カトリーヌ・ド・メディシス　ネーミ／ファースト 千種堅訳
ナポレオンとジョゼフィーヌ　J・ジャンサン 瀧川好庸訳
ナポレオン戦線従軍記　F・ヴィゴ＝ルション 瀧川好庸訳
ナポレオン一八一二年　N・ニコルソン 白須英子訳
ビアズリー伝　S・ワイントラウブ 高儀進訳
マタハリ　M・グリッランディ 秋本典子訳
怪僧ラスプーチン　M・グリッランディ 米川良夫訳
ルネサンスの女たち　塩野七生
神の代理人　塩野七生
サロメの乳母の話　塩野七生
海の都の物語(上下)　塩野七生
サド侯爵の生涯　澁澤龍彥
エロス的人間　澁澤龍彥
三島由紀夫おぼえがき　澁澤龍彥
評伝 三島由紀夫　佐伯彰一
近代日本の自伝　佐伯彰一
フランス革命下の一市民の日記　C・ギタール 河盛好蔵監訳
プーシキン伝(上下)　池田健太郎
ロシア的人間　井筒俊彦
イスラーム生誕　井筒俊彦

イスラーム思想史　井筒俊彦
シリア 東西文明の十字路　P・K・ヒッティ 小玉新次郎訳
イラク 知られざる軍事大国　松井茂
回疆探検 ペルシャの旅　吉田正春
19世紀ロシアの作家と社会　ヒングリー 川端香男里訳
赤露の人質日記　エリセーエフ
露国及び露人研究　大庭柯公
江戸団扇　大庭柯公

新刊・既刊

北風に起つ ―継体戦争と蘇我稲目　黒岩重吾
四十八人目の男　大佛次郎
逢えばほのぼの 対談集　檀ふみ
経済倫理学序説　西部邁
鏡の魔術　由水常雄
西域・シベリア　加藤九祚
平山郁夫画文集 西から東にかけて　平山郁夫
チャイコフスキー・コンクール　中村紘子
寂聴 般若心経　瀬戸内寂聴
銘のない墓標　陳舜臣